De mooie dingen

Virginie Despentes

De mooie dingen

Roman

UIT HET FRANS VERTAALD
DOOR KATELIJNE DE VUYST

Manteau | Anthos

Oorspronkelijke titel: *Les jolies choses*
© 1998 Éditions Grasset & Fasquelle
© 2001 Nederlandse vertaling Uitgeverij Manteau /
Standaard Uitgeverij nv en Katelijne De Vuyst
Standaard Uitgeverij nv, Belgiëlei 147a, B-2018 Antwerpen
www.standaard.com
manteau@standaard.com
Voor Nederland: Uitgeverij Anthos, Amsterdam
Omslagontwerp Wil Immink
ISBN 90-7634-122-2
D 2001/0034/15
NUGI 301

LENTE

Château-Rouge. Een terrasje op de stoep, te midden van de werken. Ze zitten naast elkaar. Claudine is blond, braaf ogend kort roze jurkje dat wat boezem vrij laat, een volmaakte, welgevormde pop. Zelfs de manier waarop ze zich onderuit laat zakken – ellebogen op de tafel, benen uitgestrekt – ziet er bestudeerd uit. Nicolas heeft felblauwe ogen, je zou denken dat hij altijd lacht, op het punt staat een grap uit te halen. Hij zegt: 'Wat een weertje, hé...'

'Yep, het doet pijn aan m'n ogen.'

Ze heeft haar bril thuis laten liggen, ze fronst haar voorhoofd: 'Ik voel me weird, erg hoor. Heus, het brandt hier nogal.'

Ze strijkt over haar keel en slikt. Gelaten haalt Nicolas zijn schouders op: 'Als je nou es ophield kalmeringspillen te vreten alsof het snoepjes waren, dan ging het vast beter met je.'

Ze slaakt een diepe zucht, trekt haar wenkbrauwen op: 'Fantastisch toch hoe jij me steunt.'

'En ik dan, ik vind nergens steun. Ik kan wel zeggen dat ik in de stront zit.'

'Ik heb geen idee waar je het over hebt.'

Hij wil zich boos maken, zeggen dat hij haar knap vervelend vindt, maar hij kropt het op en glimlacht alleen

7

maar. De kelner komt eraan, hij gooit twee viltjes op tafel en zet de biertjes erop. Feilloos. In rechte, snelle lijnen stijgen de belletjes in de gouden vloeistof op. Ze klinken werktuiglijk, wisselen een snelle blik. Aan de tafel ernaast zuigt een meisje luidruchtig met een rietje de bodem van haar grenadine leeg. Nicolas drukt zijn nog niet opgerookte sigaret uit, hij blijft pletten tot ze helemaal is uitgedoofd en zegt: 'Het lukt nooit. Het is onmogelijk jullie te verwarren.'

'Weet je nog iets beters, domoor, nou ja, tenslotte zijn we ook maar tweelingzussen...'

'Hoe verklaar je dan dat ik haar niet herkend heb, toen ik haar in het station stond op te wachten?'

Claudine zet een komische snoet, ze snapt er ook niets van. Nicolas dringt aan: 'Ze liep vlak voor mijn neus voorbij en toch ging er bij mij geen belletje rinkelen. Pas toen alle reizigers weg waren en we alleen naast elkaar stonden, merkte ik een vage gelijkenis tussen haar en jou op...'

'Misschien ben jij wat achterlijk... Dat speelt ook mee.'

De kelner loopt hun tafeltje voorbij, Nicolas gebaart hem nog eens hetzelfde in te schenken. Met twee vingers masseert hij zijn voorhoofd en staart voor zich uit, alsof de oplossing daar te vinden was. Wanneer hij het zwijgen zat is, trekt hij opnieuw ten aanval: 'Ze is geschift, die zus van je, zo autistisch als wat.'

'Nou ja, ze is wat grungy... Maar als je ziet welke fenomenen er in Parijs ronddolen, vind ik haar best meevallen.'

'Over een hele middag heb ik haar exact zes woorden horen uitstoten: "Je kunt de pot op, jij." Zo eenvoudig is het. Wat je zegt, meevallen...'

'Probeer je haar situatie voor te stellen, ze is gewoon op haar hoede.'

'Ik ben boos omdat je me niet eens gewaarschuwd hebt. Je hebt een massa dingen verzwegen, ik denk zelfs...'

Claudine verstrakt, ze draait haar hoofd naar hem toe. Hij kent dat gezicht, als ze haar zelfbeheersing verliest en ronduit gemeen wordt: 'Ben je van plan nog lang zo te zitten lullen? Doe vooral geen moeite als het je te veel wordt. Ga naar huis, maak je geen zorgen: we redden het ook zonder jou.'

Hij krijgt de kans niet te antwoorden, ze staat op en loopt naar de wc. De verroeste grendel hangt helemaal uit elkaar, de papierhouder is bedekt met gele littekens, sporen van sigaretten. Een Franse wc, opletten bij het doorspoelen, dat je voeten niet te nat worden.

Er drukt een zinloos gewicht op haar hart, ze zou graag elders zijn. Van zichzelf verlost. Die verdomde spanning is haar ingebakken, ze is er als ze wakker wordt en laat haar pas los na heel wat glazen bier.

Ze komt weer naast Nicolas zitten. Er loopt een meid voorbij in een slangenleren outfit. Ze draagt van die schoenen met plateauzolen die nu in zijn. Een eind ver- derop schreeuwt een man 'houd de dief', mensen zetten het op een lopen, anderen bemoeien zich ermee. In de verte klinkt een claxon, een soort misthoorn, alsof er een passagiersschip op de wijk afstoomde.

Claudine zoekt in haar handtas, haalt geld tevoor- schijn en legt het voor zich op tafel: 'Die hufter hoeft geen fooi. Ik krijg het op de zenuwen van dat ventje.'

'De ober? Wat heeft hij je misdaan?'

'Hij doet geen enkele moeite. Waardeloos.'

Ze steekt haar pakje sigaretten en de aansteker in haar zak, en zegt kortaf: 'Wel, wat ben je van plan, begeleid je haar of niet?'

'Ik heb beloofd dat ik het zou doen, nou dan.'

'Oké. Krassen we op?'

Er glanst een tevreden flikkering in haar ogen. Ze staat op en wacht op hem, opgelucht zegt ze: 'Ik vind het heerlijk als het warmer wordt, wat jij?'

★ ★ ★

Nicolas en Claudine kennen elkaar al een poosje.

De dag dat ze in Parijs kwam wonen. Ze herinnert het zich alsof het gisteren was. Een beslissing die niet van tevoren was gepland. Ze babbelde met een meisje aan de telefoon, al hun makkers passeerden de revue en werden deskundig afgekraakt. Ineens hoorde ze zichzelf zeggen: 'Hoe dan ook, ik smeer 'm, ik ga naar Parijs, ik heb m'n buik vol van een leven waar elke dag op de andere lijkt'. En terwijl ze inhaakte, wist ze dat ze het doen zou, dat het geen loze woorden waren.

Een reistas volstoppen met allerlei spullen, het doet er niet toe wat we meenemen. Aanschuiven aan het loket, een kaartje eerste klas hoewel ze praktisch blut was, een symbolisch gebaar, om daar niet aan te komen als een miezerige loser. Een klein meisje liep haar achterna, 'por favor, mevrouw, por favor.' Claudine keek haar aan, schudde van nee, maar het meisje gaf niet op, bleef haar volgen tot de roltrap. 'Por favor... Alstublieft.'

Haar vreemde gemoedsstemming tijdens de reis, een opkomend ongeduld dat ze niet meer kwijt zou raken. Kon het echte leven eindelijk beginnen? Hoewel ze geen idee had wat ze zich daar precies moest bij voorstellen.

Toen ze het station verliet, kwam het ineens allemaal op haar af. Enorme straten gepantserd met voertuigen, overal lawaai, een drukkende massa haastige Parijzenaars. Urenlang stappen, haar ogen wijdopen voor alles om haar heen, met die zware, hinderlijke tas die haar hand en schouder openreet. Bij elke straathoek een nieuw spektakel, indrukwekkende gebouwen, een zondvloed van voorbijgangers.

Overal voelde je de aanwezigheid van het geld, een bijna tastbare stroom. En in haar hoofd, telkens en telkens opnieuw: 'Ik vreet je op, grote stad, ik verslind je met huid en haar.'

De nacht viel plotseling. Claudine alleen in een McDonald's, een man kwam naast haar zitten. Chique schoenen, duur horloge, op het eerste gezicht vrij welgesteld. Toenaderingspogingen, even het terrein verkennen, ze maakte een gunstige indruk. Blijkbaar was het niet de eerste keer dat hij zijn geluk beproefde bij jonge onbekenden, hij nam haar mee om ergens anders te eten. Reuzedeftig restaurant, hij zag haar voor een dure vogel aan.

Toen ze zei dat ze nergens heen kon om te slapen, voelde hij zich verplicht haar eerlijk te waarschuwen dat hij haar slechts één nachtje uit de nood kon helpen. Niettemin was hij opgelucht: hij was er niet aan voor zijn moeite, ze zou hem niet op het laatste moment wandelen sturen. Claudine stelde hem gerust – een lach in haar stem, de evidentie zelf: 'Nou, ik ben heus niet van plan bij je in te trekken!'

Ze wist toen al dat ze zo lang zou blijven als ze dat zelf wou, als de flat haar beviel. Het was niet de eerste keer dat ze er zo eentje tegenkwam: mannelijke nymfomanen met een dwangmatige en onverzadigbare honger naar zelfbevestiging, een kwetsbaar soort. En ze wist perfect hoe ze met dat slag moest omgaan.

Daarna speelde ze de vrouw die tranen in de ogen kreeg, zo goed had hij haar laten klaarkomen, en meteen daarna de vrouw die dankbaar is omdat hij haar zo liet open bloeien, gevolgd door de vrouw die zich niet wil opdringen, niet te nieuwsgierig en ook niet te praatziek. Discreet uiting geven aan haar bewondering, met een vleugje 'iedereen behandelt me als een prinses, dus hou je wat gedeisd', zodat er ergens op de achtergrond toch wat paniek bleef hangen en hij het gevoel behield dat hij de hoofdvogel had afgeschoten.

Blijkbaar had ze gedaan wat nodig was, want de volgende avond drong meneertje er zelf op aan dat ze bij hem zou intrekken. Ze bood wat weerstand, 'we kennen elkaar nauwelijks, we zijn toch geen kinderen meer, het is niet makkelijk met iemand samen te wonen', om er zeker van te zijn dat hij geen voorwaarden zou stellen. Maar hij gaf meteen de juiste reactie, 'als de liefde zich aandient, moet je het aandurven de sprong te wagen', schalks, in de mening dat zij hetzelfde ervoer als hij, de krachtige ademtocht van een zeldzame passie. Ze had het vooral niet ontkend.

Het leven bij hem was aangenaam, hoewel het nogal dikwijls op seks uitdraaide.

Instinctief legde ze haar afkeer aan banden, ze had het altijd zo gedaan, uiterlijk bleef ze een en al glimlach, gedroeg ze zich zacht en verliefd. Haar kotsneiging zat vanbinnen, en ook haar verbazing, telkens weer: hoe kun je afgaan op iemands gelaatsuitdrukking, als het zo lastig is je ware gevoelens te verbergen?

Gelukkig was hij meestal weg om zijn zaken te regelen, en bleef zij alleen thuis. Liet ze de dagen voorbijgaan.

Het leven in Parijs was moeilijker dan ze had verwacht. Het liep er vol met mensen als zij, die het tot elke prijs wilden maken in het leven. Bijgevolg liet ze de tijd voorbijgaan en deed haar gymoefeningen, ze wilde een perfect lichaam hebben als het moment gekomen was. Want dat moment zou komen, daar twijfelde ze geen ogenblik aan.

Op een zondag – winterse zon – liep ze naar beneden om sigaretten. Er stond een lange rij aan te schuiven in de enige bar annex tabakszaak die open was. Een man hing aan de toog en schraapte zijn kraslot zorgvuldig met een plectrum. Ze bleef hem in de gaten houden terwijl ze op haar wisselgeld wachtte. Hij zag er nogal saai uit, blond maar niet uitgesproken, groot maar niet uitgesproken, blauwe ogen die ook groen konden zijn, niet slecht maar ook niet goed gekleed. Een bonenstaak met een leuke lach, een nonchalance die hem goed stond. Hij had een ontzettend banale indruk op haar gemaakt. Hij had opgekeken, hun blikken hadden elkaar gekruist, en met een grote glimlach: 'Duizend ballen. Ik kan m'n ogen niet geloven! En ik heb nog nooit iets gewonnen.'

'Misschien zijn je kansen nu gekeerd.'

'Dat zou ik niet durven te zeggen, maar nou ben ik best gelukkig... Mag ik je een glas aanbieden?'

Hij was uitgelaten. Zijn ogen, van een onbestemd blauw, fonkelden opgewekt. Hij had de kelner geroepen, en apetrots liet hij het winnende biljet zien. Wendde zich opnieuw tot haar: 'Wel, drink je iets?'

Bijna had ze nee gezegd, puur uit gewoonte dit soort uitnodigingen af te slaan. Maar z'n kop had haar meteen aangestaan. Misschien loonde het wel de moeite een glas met hem te drinken, dus ging ze op het aanbod in.

En Nicolas was geïntrigeerd door die moordgriet, het verbaasde hem dat ze hem zomaar bleek te vertrouwen.

Wat een wijf, ze liet de concurrentie een heel eind achter zich. Spannende spijkerbroek, aansluitende blouse, en ze vond het goed een glas met hem te drinken. Waarom, wat wilde ze van hem, met haar grote tieten, haar platte buik en haar ronde heupen? Ze had een kont vanjewelste, ze wist het, de broek die ze droeg zette dat extra in de verf.

Ze hadden er een achterovergeslagen aan de toog. Ze lachte gauw, blijkbaar beviel het haar daar. Hij had voorgesteld: 'Misschien kunnen we gaan zitten en ze opnieuw laten volschenken?'

'Wil je alles aan bier uitgeven?'

'Tja, met de schulden die ik heb, zit ik allang niet meer aan duizend...'

Ze had witte, volmaakte tanden. Ze speelde onophoudelijk met haar haar, zo zag ze er onweerstaanbaar uit: 'Het is eeuwen geleden dat ik nog iets in een kroeg gedronken heb. Sinds ik hier aangekomen ben eigenlijk, dus zowat drie maanden. Ik heb geen rooie duit, ik kan zelfs geen behoorlijke sigaretten meer roken.'

Ze zwaaide haar pakje van dertig heen en weer, met een geamuseerde afkeer. Daarna hief ze het glas op zijn gezondheid, in afwachting dat ze klonken. Ze geurde lekker, zoals hij tegenover haar zat kon hij haar ruiken. Ze hield haar handen braaf gekruist op tafel, en haar nagels waren roze. Nicolas kon onmogelijk uitmaken of ze de kitsch er met opzet zo dik oplegde, of omdat ze vond dat ze er zo juist ongelooflijk stijlvol uitzag.

Later zou hij haar op gezette tijdstippen vragen: 'Maar waarom wil je er per se zo hoerig bijlopen?' Waarop ze haar blik ten hemel zou opslaan en antwoorden: 'Hoor es hier, knul, je praatjes kunnen me wat, ik weet één ding, de mannen zijn er gek op. Hoe stom het ook is, maar daar gaat het niet om. Het werkt altijd, en daar komt het op aan.'

Drie glazen later vertelde ze haar levensverhaal: '... ik woon met hem samen, heus, hij is best aardig. Dat is het probleem haast, alsof ik in honig baad. Oké, het is zoet maar het kleeft en er zijn spannender dingen in het leven... Nou ja, het is voorlopig, zodra ik ergens geld mee kan verdienen, neem ik een kamer, het geeft niet als het een krot is. Als hij er is ga ik vaak weg, een ommetje maken, ik kijk naar omhoog, naar de appartementen met terras, met reusachtige ramen en een tuin in volle stad...'

Ze sprak de waarheid, later zou hij erachter komen, door met haar mee te lopen. Om de haverklap bleef ze staan, stak haar arm uit en wees naar een raam, 'ooit zal ik daar wonen', en haar blik klaarde op, ze was er heel zeker van, ze kon geduld oefenen.

Ze bleef maar praten, het was niet moeilijk haar te volgen: 'In het begin lijkt het wel alsof ik de plee moet schoonmaken zonder tegen te pruttelen. Alleen zo kan ik m'n plaats vinden, ik ben op m'n hoede... maar bij de eerste de beste zwakke plek die ik ontdek, ga ik voluit... Het kan me niet schelen hoe lang het duurt.'

Terwijl ze praatte beet ze op haar onderlip. Soms, hij vroeg zich af of het geen inbeelding was, zag hij dat er tranen van razernij in haar ogen sprongen.

Waarschijnlijk was ze het niet gewoon veel te drinken, want ze had zichzelf helemaal niet onder controle. Ze sufte, haar blik stond op oneindig.

'Maar waarom ben je naar Parijs gekomen?'

'Nou, ik wil actrice worden.'

'Porno?'

Het was er vanzelf uitgekomen, dat lag immers voor de hand. Ze had alleen haar wenkbrauwen gefronst, en iets bitters ingeslikt. In de vage hoop zijn flater te herstellen had hij gemompeld: 'Ik wilde je niet kwetsen, ik ken massa's meiden die...'

'De meiden die je kent kunnen me wat, en het laat me koud wat je over mij denkt. Ik weet best hoe ik eruitzie, zo stom ben ik ook niet. En ook niet zo stom dat er iemand anders voor me moet beslissen wat ik kan of niet kan. Dat zien we wel op het einde van de rit. En wie me voor een domme troela hield, zal ik mores leren: wie laatst lacht best lacht.'

Ze had zich opgericht om dat te zeggen, haar gewelfde bovenlijf een en al verzet tegen de wereld, en toen – komisch haast – zakte ze ineen, lucide: 'Maar oké... ik ben ook niet zo stom om te geloven dat ik de enige ben die zo praat.'

En na een moment stilte: 'Drinken we er nog eentje?'

'Zal je vriend niet ongerust worden?'

'Tuurlijk. We zouden een fantastische middag beleven, gedubde actiefilms kijken, ondertussen wiet paffen, een smerig goedje dat hij in de stad haalt. Die knullen zetten hem af, ik durf het hem niet zeggen. Nou ja, we roken hennep. Trouwens, je hebt gelijk, ik moest er es vandoor.'

'Drinken we er nog een of niet?'

'Snel dan, het laatste.'

Toen hij de volgende dag 's ochtends was opgestaan om te kotsen, lag ze op de sofa. Hij wist niet goed meer hoe ze in zijn kamer was aanbeland. Ze hadden samen in alle rust koffie gedronken. Ze was gebleven tot ze een flat had gevonden. En ze waren vrienden geworden, haast zonder erbij stil te staan, omdat ze altijd blij waren als ze elkaar zagen en graag met elkaar optrokken.

* * *

Nu drie maanden geleden was Nicolas bij Claudine langsgelopen – hij had een afspraak bij haar in de buurt – om te zien of ze thuis was. 'Alles kits?'

Ze was uitgelaten: 'Weet je nog, Duvon, de producer? Hij wil een plaat met me opnemen, ik moet hem bellen als de demo af is. Heus, ik denk dat hij er echt iets in ziet... Die vent wil me echt een kans geven... Het hing toch al een tijdje in de lucht, hè?'

Hij wendde zijn blik af van het tv-scherm, waar een gozer – je vroeg je af waarom hij in vogelperspectief gefilmd was, of moest hij er juist lullig uitzien? – in de toiletten op een andere vent afkwam en hem 'schatje' noemde terwijl hij hem een kogel door de kop joeg.

'Een demo?'

'Yep, ik heb een flater begaan, ik zei dat hij zowat af was... Ik dacht aan je opnames, je weet wel, die twee nummers die ik best aardig vind...'

'Je weet dat ik geen spaak in het wiel wil steken, Claudine, maar... je kunt niet zingen, we hebben het al geprobeerd.'

Ze hadden samen al van alles ondernomen om zich te laten opmerken. Vergeefse moeite. De jaren gingen voorbij, hun ambities slonken. Ze leerden vooral wat ze moesten vragen aan de maatschappelijk werkster, welke papieren ze moesten vervalsen om recht te hebben op die en die bijstand, hoe de dans te ontspringen als er controle kwam.

'Ik ben niet van plan te zingen.'

Nicolas zapte terwijl hij naar haar bleef luisteren. Hij hield halt op een reclame waar een blijkbaar knotsgek vrouwmens, badend in groentinten, op haar knieën door een sleutelgat een paar zat te begluren. Een vrij achterhaalde voorstelling toch.

'Wat ben je van plan, vertel op, ik ben niet zo'n kei in raadseltjes.'

Claudine had een cassettebandje in het deck achter hem gegleden en voor ze het aanzette, zei ze: 'We sturen je muziek naar mijn zus, en zij zal haar stem erop plakken... als een grote drol.'

'Zingt je zus dan?'

'Niet kwaad. Ik zal je een stukje laten horen.'

'Heb je iets van haar?'

Ze tikte zich zacht in de nek, dat deed ze altijd als ze ergens mee verveeld zat: 'Toen jij en ik nog aan je muziek werkten, heb ik haar je ding opgestuurd... ik wilde dat ze me op een paar ideeën bracht. Maar ze had nogal ingewikkelde plannen waar ik niets mee aan kon vangen, opzettelijk natuurlijk. Het is een kutwijf, ik heb het je toch al gezegd.'

'Je had me kunnen laten luisteren, dat we...'

'Nee, ze zingt te goed, ik kan het niet hebben. Maar oké, nu heb ik geen keus.'

Tact of ambitie, voor haar was het allang een uitge-maakte zaak.

Dat was immers het fundamentele verschil tussen Claudine en de rest van de wereld. Zoals iedereen was ze berekend, egoïstisch, bekrompen, jaloers, schijnheilig, hypocriet en leugenachtig. Maar op een atypische manier kwam ze ervoor uit, zonder cynisme, met een zo ontwapenende vanzelfsprekendheid dat ze onaantast-baar werd. Als men haar daarop wees, tikte ze zich zacht in de nek, 'oké, ik ben de Maagd Maria niet, ik ben geen heldin, ik ben geen voorbeeld... Ik doe wat ik kan, dat is al heel wat.'

Ze had op *Play* gedrukt.

Nadat hij het bandje beluisterd had, vroeg hij alleen maar: 'Denk je dat ze de teksten wil veranderen?'

'No way, ze zal helemaal niets willen, ze is en blijft een kreng.'

'En zal ze naar Parijs komen voor de mix?'

'No way. Ze heeft een hekel aan Parijs. En dat komt goed uit: ik heb een hekel aan haar gezelschap.'

'Lijken jullie heus zo veel op elkaar?'

'Weet je het niet meer? Ik heb je een foto laten zien.'

'Maar zelfs nu jullie...'

'We zijn tweelingzussen, we lijken op elkaar. Zo eenvoudig is dat.'

Toen had Nicolas het toegegeven: 'Ze heeft echt een leuke stem, je kunt er mooie dingen mee doen...'

'Zingen is het enige wat ze kan, gelukkig heeft ze dat nog.'

* * *

Daarna, zoals zo vaak het geval is, was alles anders gelo-pen dan verwacht.

18

'Wat heb je ermee te maken, als je zelf niet zingt?' had Nicolas gevraagd.

'Ik doe de videoclips, de interviews, de fotosessies... Op die manier ontmoet ik massa's mensen en dan ga ik filmen.'

'En je zus houdt haar mond?'

'Nogal wiedes, Pauline kan niemand uitstaan, behalve haar vriendje en twee, drie makkers. Ze heeft er vast geen bezwaar tegen dat ze niet in de schijnwerpers hoeft te staan!'

Toen de tape opnieuw gemixt was vond Duvon hem helemaal niet kwaad, maar er moesten nog een paar wijzigingen aangebracht worden. Daarna wilde hij hier en daar nog een dingetje veranderen. En bij die derde fase had hij erg ontgoocheld zijn hoofd geschud, 'dat is het niet, dat is het helemaal niet...'

Vanaf dat ogenblik hadden ze hem niet meer aan de lijn kunnen krijgen.

'Alweer een flop,' had Claudine nuchter vastgesteld.

Maar het bandje was blijven liggen, en er had een knul opgebeld.

'Nou ja, een knul, hij is vast dertig, maar hij droeg een bermuda...'

Dat was een jaar geleden. Nicolas en zij liepen langs de kades, de bomen begonnen te groenen, de meisjes ontblootten hun kuiten die al gebruind waren en massa's mensen lieten hun honden uit...

'Hij had gezegd "je kunt op mijn bureau langskomen", en toen ik daar aankwam, kreeg ik de slappe lach, een soort smerig hol met een stel vieze junks die wat op een fax trommelden. En hij, in bermuda. Behoorlijk zelfingenomen... Heus, jammer dat je er niet bij was, je zou erin gebleven zijn. Een rotlabel, ondermaatse groepen, smerige lokalen... En hij, een regelrechte sul zoals hij

19

gekleed loopt, maar hij is tevreden met zichzelf. Je zou zeggen dat hij iets bereikt heeft... als het de bedoeling was er totaal naast te zitten, mag hij best trots zijn op zichzelf... Soort zoekt soort, zul je zeggen.'

'Denk je dat hij die plaat uitbrengt?'

'Hij beweert van wel... Hij vindt de teksten "onwaarschijnlijk". Ik had nogal binnenpretjes – de teksten... gewoon geflipt. Toen zei hij "ik maak de plaat", in de wolken omdat het goedkoop was en dat hij geen publiciteit hoefde te maken... Kort gezegd, ik heb het lor dat hij een contract noemde ondertekend. Wij hebben toch niets te verliezen, hé?'

'En heb je je zus op de hoogte gebracht?'

'Jaja. Ze kende die knul z'n keet, ze kent het reilen en zeilen van elke loser... Ze zei dat ze het cool vond, voor een keer dat ze niet schreeuwde. Misschien maakt ze zich wel van kant.'

'En ze weet dat je overal vertelt dat je zelf zingt?'

'Ja, ik heb het haar gezegd. Ze is zo ongelooflijk aardig voor me, weet je... "Ga je gang, met jouw talenten moet je de mensen wel oplichten, of ze zien je nooit staan...", zei ze.'

'Je hebt gelijk, een schatje.'

'Ik wilde dat ze ongelijk had...'

'Ben je een beetje down?'

'Nee, het gaat me geen ene moer aan. Ik weet best dat er zelden een verband is tussen talent en succes. Ik ben niet ten einde raad.'

'En als er concerten komen?'

'Die komen er niet. Misschien zullen er overal blote foto's van me hangen, maar er komt geen concert. Ik zal al versteld staan als er ooit een CD uitkomt... Doen we een terrasje?'

★ ★ ★

Een verdieping lager speelt iemand gitaar. Langgerekte, diepe akkoorden, een eindeloze en trieste sonore background.

Claudine klaagt over oorpijn, ze slikt een pijnstiller door met rosé d'Anjou. Ze is al ver heen. Ze loopt blootsvoets in de flat rond, haar voetzolen zijn zwart van het vuil.

Pauline zit wat opzij, een tijdschrift ligt opengeslagen op de tafel. Ze kijkt haar zus aan, afkeer. Via het raam stroomt het lawaai de kamer binnen, terloopse blik. Een vrachtwagen met vlees, een laadbak gevuld met roze en wit. Ernaast staan een paar vrouwen te praten in een vreemde taal. Ze dragen vorstelijke jurken, zomerkleuren, ineens barsten ze in een eindeloze krachtige schaterlach uit.

Nicolas belt naar een makker, ondertussen zapt hij aan één stuk door. Op het scherm, een optocht van bezwete sportlui, ijverige, schalkse, vlijmscherpe presentatrices, een voorzichtig politicus, een blonde jongen in een reclamespotje.

Claudine zit naast hem en haalt een sigaret open. Als hij ophangt, vraagt ze: 'Wel, heeft hij weer wat afgezeikt?'

'Minder dan anders. Blijkbaar was hij niet erg in vorm. Hij was vreselijk ontgoocheld dat je niet met hem wilde praten.'

'Ik heb hem niets, maar dan ook niets te zeggen.'

'In elk geval heeft hij het stevig te pakken.'

'Ze denken ook nergens anders aan. Erop los versieren, iets anders willen ze toch niet.'

'Nog niet zo lang geleden vond je hem het einde!'

'Tja, ik weet het wel. Maar waarschijnlijk heb ik een molecule, je houdt het niet voor mogelijk, iets wat totaal debiel maakt. Je pakt de coolste bink van de stad, een aantrekkelijke, grappige, ruimdenkende kerel, je laat hem één nacht met mij doorbrengen en de volgende dag, hallo, een volslagen oen. Keer op keer.'

Hij heeft haar gemene meidentrucjes onderhand al leren kennen. Het maakt niet uit of ze met een man naar bed gaat of niet, hij is en blijft haar ergste vijand. De eerste keren dat ze een vent bij z'n lurven grijpt, is ze zo lief als een kinderjuf, tussen twee pijpbeurten in, echt prettig. Tot de dag komt waarop ze 'm smeert, dat doet ze bijna altijd, ze moeten immers voelen hoe ze eraan verslaafd zijn. En als ze terugkomt, is het menens en beginnen de kerels te betalen. Tot de dag komt waarop Claudine geen genoegen meer neemt met de cadeautjes, de attenties, de bewijzen van liefde. Dan breekt de eind-fase aan: niet alleen moeten ze te weten komen dat zij zich elders laat naaien, maar vooral ook hoe lekker ze het vindt. Ze veinst heus waar van haar stuk te zijn als ze zich laat ontglippen: 'Als je eens wist hoe fantastisch hij me laat klaarkomen.'

Nicolas trekt aan de joint, kucht wat en zegt: 'Gelukkig ga ik niet met jou naar bed.'

Claudine pakt de afstandsbediening, zoekt een zender met videoclips en antwoordt: 'Ik ben je type niet, dus dat telt niet mee.'

Zijn type? Hij maakt er een erezaak van nooit meiden te neuken die weten dat ze knap zijn. Alleen om ze op stang te jagen, de grieten die denken dat ze onweer-staanbaar verleidelijk zijn. Hij weet allang dat hij er niet slecht uitziet, dat hij aantrekkelijk is, hoewel hij niet precies weet waaraan het ligt. Hij doet niets liever dan een keurig opgedirkt kutwijf op te geilen tot ze in vuur en vlam staat. Om haar dan niet aan te raken. Hij heeft daar-entegen een zwak voor lelijke eendjes, hij voelt het aan als een onrecht en hij houdt zich graag met hen bezig, probeert hun goede kanten te ontdekken. En hoe dan ook, hij kan er zeker van zijn dat hij niet de tigste is onder wiens lendenstoten ze liggen te krijsen.

Claudine draait zich naar haar zus, reikt haar de joint aan: 'Rook je nog altijd niet?'

Pauline gebaart van nee, haar tweelingzus kijkt op de klok en zegt: 'Het is bijna tijd...'

De andere vindt het de moeite niet om te antwoorden. Ze leest voort. Nicolas draait zijn hoofd in haar richting. Hij vindt het nog altijd moeilijk om toe te geven dat die schimmige blokster met haar doffe haar, doffe huid en vormeloze plunje, met die zwarte blik in haar ogen, echt op Claudine lijkt.

Claudine geeft commentaar: 'Hoe gaat het, zusje, flip je niet te erg?'

'Gaat het jou wat aan?'

'Wat ben je toch leuk, aardig, grappig, jij...'

'Jammer genoeg ben ik geen hansworst.'

Het misprijzen druipt eraf. Nicolas onderdrukt een grijnslach, geeft zijn buurvrouw een por. Hij verwacht dat ze erom lacht, tjonge, wat een schatje, die zus van haar. Maar Claudine grijpt de kans niet om de draak te steken met haar zus. Zij die zich nooit iets aantrekt, of minstens van zich afbijt, kan er ditmaal niet tegen, en ze probeert ook niet het te verbergen. Ze slikt moeizaam, knijpt haar ogen dicht en brengt uit: 'Jammer genoeg ben je ook niet erg menselijk.'

De andere slaat haar blik ten hemel op, en met een glimlach om haar mondhoek lost ze: 'Het spijt me, maar zo'n pathos, daar kan ik echt niet bij.'

Er biggelen een paar tranen over Claudines wangen. Ze veegt die zelfs niet af, je zou zeggen dat ze het niet gewaarwordt. Nicolas pijnigt zijn hersenen: hoe kan hij tactvol tussenbeide komen en een eind maken aan de stijgende vijandelijkheden? Wanhopig wendt hij zich tot zuslief, dat ze ophoudt zich zo uit te sloven. Pauline heeft het door en haalt haar schouders op: 'Ze liep altijd al over van zelfbeklag.'

★ ★ ★

De zussen zeggen geen woord meer tegen elkaar. Nicolas zapt en doet alsof hij opgaat in een dierendocumentaire. Wanneer het tijd is om ervandoor te gaan, staat Pauline op. Bij de voordeur wacht ze op Nicolas. Hij staart haar misprijzend aan, kan zijn ogen niet geloven: 'Ben je van plan zo uit te gaan?'

'Ja. Ik doe dat altijd.'

'Je moet de spullen van je zus aantrekken!'

'Wat je zegt, sukkel, ik denk er niet aan me als snol te verkleden.'

'Maar geen mens gelooft dat ze zich zo op de scène zou vertonen!'

Hoewel hij de hele tijd met Claudine optrekt, heeft hij haar nog nooit zonder schmink gezien. Ook als ze in dezelfde kamer slapen, zorgt ze ervoor dat ze het eerst opstaat en naar de badkamer gaat. Om nog maar te zwijgen over haar passie voor kleren en de uren die ze erover doet om de juiste outfit aan te trekken...

'Nou, je kunt ook op een podium staan zonder je als een Clodette op te dirken, hoor.'

'Ooit al van "de gulden middenweg" gehoord?'

'Echt iets voor lamstralen.'

Hij draait zich naar Claudine, in de hoop van haar steun te krijgen. Ze spreidt alleen machteloos haar handen: 'Je kunt haar toch niet overhalen, no way. Trek het je maar niet aan, er komt toch geen hond die me kent. Ze zullen denken dat ik een acute aanval van grunge-itis heb. Dat kan iedereen overkomen.'

Met een geforceerde, vreugdeloze glimlach. Ze loopt tot de deur met hen mee. Nicolas blijft even dralen op de overloop, hij hoopt nog altijd een afscheidswoord te vinden dat de stemming enigszins kan ontladen. Claudine gunt hem nauwelijks een blik, ze murmelt: 'Maak je niet ongerust, het komt wel goed.'

Haar stem klinkt toonloos terwijl ze de deur dichtdoet, geen enkel teken van verstandhouding.

Hij volgt Pauline op de trap en begint haar zo verwoed te haten dat hij begrip kan opbrengen voor het soort vent dat een meid in een hoek klem drijft en haar dwingt in haar slipje schijten voor hij haar ermee verstikt.

In de rue Poulet hangt een vleesgeur. Aan de haken hangen allerlei niet-gevilde beestjes. Voor de uitstalramen met vreemde vruchten staan matrones te kletsen. Op de motorkap van een auto verkopen vrouwen ondergoed aan andere gesticulerende vrouwen die in lachen uitbarsten of zich boos maken. Een ware reuzin tilt een string op om hem beter te kunnen zien, ze spreidt het zwarte kantwerk in de zon open. Het trottoir ligt vol met platgetrapte kartonnen bekers van Kentucky Fried Chicken, inpakpapier en groene dozen. Wat verderop verkoopt een man flessen rode wijn die in een plastic draagtas zitten.

Ze raken slechts moeizaam vooruit, zoveel volk is er op de stoep.

Pauline loopt met Nicolas, die blijft mokken omdat ze geen andere kleren wilde aantrekken, naar de metro. Hij schudt zijn hoofd en wijst naar de taxihalte op het trottoir aan de overkant. 'Ik kan de metro niet nemen, ik heb claustrofobie. We nemen de taxi, het is niet ver.'

Ze slaat haar ogen ten hemel op, volgt hem zonder commentaar. Zijn idiote kwaaltjes, 'ik heb het benauwd in de metro', ik zou je es wat laten beleven, flauw stuk aanstelleritis...

Ze steekt haar misprijzen niet onder stoelen of banken. Sinds haar aankomst heeft ze hem alleen maar afkeurend, neerbuigend aangekeken. Ze weet altijd alles, en ze oordeelt cash. Hij wenste dat haar allerlei vreselijke dingen overkwamen, dat ze er kapot van was en eindelijk besefte dat iedereen doet wat hij kan en dat zij geen haar beter is dan de rest. Er zijn alleen omstandigheden. En zolang je niet in de verleiding komt, is er geen kunst aan voorbeeldig te zijn.

Hij bekijkt haar, haar profiel, en ze hebben dezelfde trekken. Het maakt zijn antipathie nog sterker. Alsof ze iets van Claudine heeft gestolen, iets dierbaars, haar gezicht.

Op de hoek van de straat staat nog altijd een vrachtwagen. De rijkswacht of Artsen zonder Grenzen.

★ ★ ★

Het is acht uur en de deuren van het Elysée-Monmartre zijn nog altijd dicht. De geluidstechnici hebben vertraging. Een paar portiers lopen heen en weer op de trap, ze zetten een bezorgd gezicht.

Met regelmatige tussenpozen spuwt de metro een lading mensen uit, die op het trottoir samenklonteren, in groepjes uiteenvallen. Sommigen herkennen elkaar en spreken elkaar aan alsof ze elkaar pas de vorige avond hadden ontmoet. Geen mens die eraan denkt te klagen over de onvoorziene, lange wachttijd. Af en toe kijkt er iemand om, misleid door een geritsel in de menigte. Hij gaat op zijn tenen staan om te zien of 'ze naar binnen mogen', maar 'ze mogen' nog altijd niet 'naar binnen'.

Een vrouw baant zich onverzettelijk – in stadscrawlstijl – een weg door de menigte. Een portier luistert naar haar gedaas – ze wachten op haar voor een interview – en wil haar kaart zien. Dan pakt hij zijn walkie-talkie om te vragen wat hij met haar aan moet. Terwijl hij wacht profiteert hij ervan om ongegeneerd in haar decolleté te gluren. Niet dat hij haar tieten zo geweldig vindt, hij krijgt vooral een kick omdat al zijn makkers hem zo bezig zien. Zodra ze haar hielen heeft gelicht, kunnen de grollen losbarsten.

Zijn werkmakker probeert zijn blik te ontwijken. Die kerel moest zich schamen dat hij een vrouw zo met de ogen verslindt, zij moest zich schamen dat ze zich zo te kijk zet. En ook hij moest zich schamen, want hij moet zijn ogen wel de kost geven, ze springen uit hun kassen en worden er altijd weer toe aangetrokken. Telkens als hij er een ziet – en als hij werkt, gebeurt dat altijd wel – vraagt hij zich af wat ze eigenlijk wil bereiken.

Hij laat haar door, ze loopt de trap op naar de zaal, duwt de deur open en verdwijnt. Ze speurt de zaal af op zoek naar iemand die ze kent.

Ze loopt naar de catering. En als ze in de buurt van de scène komt, herkent ze Claudine. 'Asjemenou, de bitch heeft zich de look van een pot aangemeten... Je hebt er die nergens voor terugdeinzen.'

De journaliste huppelt naar de scène, in de wolken dat ze dichterbij mag komen en dat Claudine haar gedag komt zeggen. Niet dat ze blij is haar te zien, ze kennen elkaar amper en de kleine feeks is niet bepaald aardig.

Nicolas houdt haar halverwege tegen: 'Doe geen moeite, ze wil niemand zien.'

'Is het haar al naar het hoofd gestegen?'

'Nee, maar ze flipt... En jij, alles kits?'

Ze heeft zin hem te slaan. Nou, het is de Olympia niet waar ze optreedt, het is maar een voorprogramma. Ze doet alsof het haar geen barst kan schelen: 'Toe nou, doe niet idioot, ik wil gewoon iets schrijven... Kan ik haar interviewen als de balans in orde is?'

'Vandaag niet, ze is over haar toeren, ze heeft me gevraagd iedereen op een afstand te houden... Maar als je wil belt ze je morgen op.'

'Ik ben bang dat het te laat is, morgen. Dan ben ik over mijn toeren, zie je...'

Ze maakt rechtsomkeert en loopt naar de bar, waar ze een whisky bestelt. Misprijzend en woedend: 'Wat een uitsloofster, wil ze in het nieuws komen of verzuipt ze liever in de stront? Ze heeft nog geen duizend platen verkocht en het stijgt haar al naar het hoofd...' Maar ze beseft wel degelijk dat, als er gemeenschappelijke belangen op het spel staan voor de journalist en de uitvoerder, iedereen heel wat dingen over zich heen laat gaan...

Nicolas kijkt haar na. Voor het ogenblik heeft niemand iets in de gaten. De situatie is zo absurd dat hij ze alleen in zijn dromen voor mogelijk hield.

Zopas heeft de labelmanager zich tot bij Pauline-Claudine gemanoeuvreerd. Hij feliciteerde haar uitvoerig 'met de plaat, iedereen is er wild van, ik ben dolgelukkig dat ik hem gemaakt heb'. Nicolas zat naast haar, zijn hart sprong haast uit zijn borstkas. Hij had zin om keet te schoppen en de vent tegen de vlakte te gooien. Maar Pauline trok zich behoorlijk uit de slag, ze diende hem rustig en kortaf van antwoord: 'Hou je grote bek, ik wil geen woord meer horen.'

In plaats van boos te worden, kreeg Bermudaboy een kleur en mompelde volmaakt gelukkig: 'Nou, ze heeft het, hé, als ze iets wil is ze...' Zijn stem vol bewondering, wat de echte Claudine, die haar best deed om aardig te zijn, nooit had mogen meemaken.

Nicolas doorkruist de zaal, hij legt de vent aan de mengtafel voor de derde keer uit dat het zinloos is de stem zo op de voorgrond te zetten.

Hij had zich drie uur geleden niet kunnen voorstellen dat hij zo vaak heen en weer zou lopen omdat de onderbassen te zus waren of de balans te zo.

Pauline is net op het toneel verschenen. Met haar handen op haar rug en haar blik aan de grond gekluisterd begint ze te zingen.

Stokstijf, bloedserieus in haar smerige plunje krijgt ze ineens een geweldige présence. Stille, indrukwekkende metamorfose. Onverstoorbaar, alsof de dingen die ze laat horen van heel diep komen.

Nicolas klimt op het podium, 'is de weergave oké?' Behoedzaam wikkelt hij de microfoon in een soort stof. Dan gaat hij opzij staan en vraagt een nieuwe test te doen: 'Kunnen we nog een stukje laten horen?' In het voorbijgaan heeft hij het aan de stok met een van de organisatoren die de balansregeling wil stopzetten omdat ze al achter zijn op het schema.

Haastig brengt hij een laatste detail in orde, wirwar van contactbussen, lege zaal, de plaats uitkiezen waar je alle klanken hoort. Het knetteren van de gordijngevel, de stellages, rode lichten, de afstelling van de microfoonhengel, de mannen die zich aan de steigers vastklampen om een laatste spot in de juiste richting te draaien – met volle teugen geniet hij ervan...

Als iets waarvan je zelfs niet meer durfde te dromen, om jezelf de bittere nasmaak van het ontwaken te besparen.

★ ★ ★

De vent van de zaal gedraagt zich echt onuitstaanbaar. De deuren moeten weldra open zodat het concert kan beginnen.

Nicolas loopt naar Pauline, die op de rand van het toneel staat. Hij ziet dat haar handen trillen. 'Ik ga om sigaretten, ik zit zonder. Loop je met me mee?' vraagt hij.

Ze schudt haar hoofd, is meteen weer 'over haar toeren'. Toch is hij blij dat ze weigert, vooral omdat hij Claudine vanuit een rustig plekje wil bellen. Haar een hart onder de riem steken, zeggen dat alles oké is. Er is ook zijn schuldgevoel, hij vond het prettig toen hij met het geluid bezig was, het leek wel of hij met de vijand heulde.

'Wil je nog iets?'

'Ik wenste dat die klojo's aan het andere eind van de wereld zaten.'

Hij begrijpt niet waarom ze zo boos is. Niemand heeft met haar gepraat, niemand heeft haar iets in de weg gelegd. Maar het is niet geveinsd, ze is helemaal buiten zichzelf.

'Wacht je op me in de loges?'

'Nee, ik sluit me op in de toiletten. Dan kan er niemand met me praten. Je kunt me oppikken als je terugkomt, ik zit op de wc uiterst rechts als je binnenkomt.'

'Alles oké, Pauline, heb je niet te veel plankenkoorts?'

Ze kijkt hem langdurig aan, en ijzig zegt ze: 'Onthoud vooral dat we geen vrienden zijn.'

Zijn vage schuldgevoel omdat hij het leuk vond met haar te werken verdwijnt in één klap. Smerige zottin.

* * *

De spullen in haar flat zitten onder een kleverig laagje. Claudine wast haar handen, de handdoek waarmee ze zich afdroogt voelt vettig aan – zijzelf ook. Je hebt zo van die dagen.

Zon, valium, ze zinkt weg in een ietwat absurde rust, die haar lichtjes doet zweten, haar romp en rug zijn vochtig. Haar ogen vallen dicht, ze voelen zwaar aan.

Nicolas heeft daarnet opgebeld: alles verloopt naar wens. Het verbaast haar niet. Zo was het altijd met Pauline: ze slaagt in al haar ondernemingen. Ze mag zich als een lastig kind aanstellen, doen alsof het haar tegenstaat op de scène te komen, maar ze weet dat ze een prachtstem heeft en dat wil ze laten horen. Dus zal ze een geslaagd concert geven, zelfs al is het de allereerste keer.

De keuken. De koffie loopt door, borrelt steeds luider.

Het buisje is stuk, er staan lichtbruine bellen op de aansluiting. Ze moet een nieuw koffiezetapparaat kopen, ze vergeet het altijd. Terwijl ze zich die bedenking maakt, voelt ze haar hart ineenkrimpen, het heeft toch geen zin meer. De angst beroert haar nauwelijks, alleen een zweem van bitterheid.

Ze morst wat, veegt het weg met een spons die zwart is uitgeslagen, slecht uitgespoeld. Ze heeft lak aan huiselijke beslommeringen, principieel: ze wil niet zijn als haar moeder.

Laat het zo, ik smeek je, laat het zo, sommige dingen in het leven doe je beter niet, laat het zo...

Het raam aan de overkant staat open, de straat is als een klankkast, het liedje klinkt alsof Claudine er thuis naar luisterde.

Vlagen van verscheurende pijn, dezelfde obsessies als van de voorbije dagen, maar hoe meer het bonst, hoe ondraaglijker het wordt.

De gordijnen vormen een roze vlek, de zon verdwijnt. Er klinkt steeds meer opwinding in de stemmen beneden. In een opwelling buigt ze zich voorover om te zien wat er aan de hand is.

Een man staat met zijn rug tegen het raam van de slager, voor hem twee mannen en een vrouw. Zij praat, ze is razend, ze draagt een hoofddoek, haar roze jurk reikt tot de enkels. De twee mannen schudden afkeurend het hoofd, het kan toch niet wat de derde heeft gedaan. Ze kan onmogelijk weten waarover het juist gaat, ze spreken geen Frans. Van zo ver kun je het slecht zien, maar ze heeft de indruk dat de man tegen het ijzeren rolgordijn niet bang is.

De voorbije paar dagen zijn de bloemen opgeschoten, hier en daar staat al een bloembak voor het raam.

Als ze er niet op let, begint ze sneller, onregelmatiger te ademen.

Hoe lang nog, voor de dingen zijn wat ze zijn?

Het rad draait niet, het is allemaal onzin.

Op een tafel staat een foto van haar en Pauline. Ze zijn negen, het is het enige kiekje waar ze samen op staan en dezelfde kleren dragen. Het lijkt wel een stomme trucagefoto, iets als de weerschijn van een gezicht in een verborgen spiegel. De twee koninginnen van dezelfde speelkaart.

Ze voelt opnieuw die tomeloze opwelling die nu en dan door haar heen schiet. Woede, ze wil terugblikken, rekenschap vragen.

Haar vader, die altijd opnieuw zei: 'Ze lijken wel een beetje op elkaar, maar eigenlijk lijken ze helemaal niet op elkaar', en ondertussen liet hij een stilzwijgende blik op Claudine vallen. Zogezegd sprak hij er niet over als ze er bij was, hij wilde haar niet kwetsen, zogezegd was hij voorzichtig, het was toch haar schuld niet. Zij was de minst pientere van de twee, eerlijk gezegd, niet erg snugger.

Soms kreeg haar vader vrienden op bezoek en riep hij de meisjes. Gefluister, ze mochten het niet horen, alsof er ook maar iets was dat ze niet wisten. Dan ondervroeg hij hen, om publiekelijk te bewijzen hoe ijverig, slim, schalks en vreselijk uitgeslapen Pauline wel was. En dan haar zus, die nooit iets doorhad. Haar hoofd werkte niet zoals het hoorde, legde nooit verbanden, bracht de gewenste informatie nooit over. Ze zonk in de grond voor al die onbekenden, maar ze moest haar mond opendoen, iets zeggen. Als ze niets zei boog haar vader zich naar de andere volwassenen, maakte hij een gemene, neerbuigende opmerking.

En in plaats van haar dochter te verdedigen, in plaats van er een stokje voor te steken, stuurde haar moeder – dat kutwijf – haar stante pede naar bed, van ergernis omdat ze zo stom was. De volgende dag aaide ze haar over haar voorhoofd, troostte ze haar: 'Het is jouw schuld niet, schat... Bij tweelingen is er altijd een die de gebreken erft... Schatje, jij kunt het echt niet helpen.'

Haar moeder had nog geen dikke buik. Ze had nog maar pas vernomen dat ze zwanger was van een tweeling.

In diezelfde periode ging haar vader als een gek tekeer. Haar moeder werkte sinds het begin van het jaar, net als hij gaf ze les in een gymnasium.

Tot dat ogenblik was alles duidelijk geweest, makkelijk samen te vatten: hij was met een onnozele, onopvallende trien getrouwd.

Natuurlijk waren er de weken van de kennismaking geweest, toen haar vader zich moeite had getroost voor haar – 'je bent de vreugde van mijn leven' – en haar voortdurend had omhelsd, met honingzoete complimentjes overladen, haar ondeugende woordjes had toegefluisterd en maar niet genoeg van haar kon krijgen...

En stilaan, alsof zijn ogen opengingen, werd ze die zielenpoot. Totaal onbekwaam. Hij liet haar niet in de steek, hij bedroog haar niet. Hij kreeg er maar niet genoeg van te zien hoe ze alles fout deed waar ze aan begon. Hij kreeg er maar niet genoeg van te zien hoe slecht ze zich kleedde, hij die zo op elegantie gesteld was. Te horen hoe onhandig ze zich uitdrukte, hij die zo op vernuft gesteld was. Alles wat ze deed was fout. De manier waarop ze een spons uitwrong, de hoorn afnam, een jurk droeg.

Hij kreeg maar niet genoeg van al die pathos. Hij beklaagde zichzelf dat hij op zo'n vrouw verliefd was geworden. Zonder haar ooit te slaan liet hij al zijn geweld op haar los, concentreerde hij zijn verstand om haar te kleineren.

Hij hield nooit op voor ze begon te huilen. En zodra haar ogen vochtig werden, trok hij woedend van leer: hoe durfde ze te klagen? En wat wist zij van zijn pijn, het brandende verdriet dat hij leed?

Net zoals hij alle plaats in bed opeiste, eiste ook zijn wanhoop alle plaats op. Hij was altijd in alles 'het meest' – principieel. Het meest gekwetst, het meest fijnbesnaard, gevoelig, redelijk. De belangrijkste van de twee, het middelpunt.

Zij had alleen het recht te luisteren, hij hield er immers van urenlang te praten. Ze had de plicht te luisteren, zelfs al werd ze verscheurd door de woorden die altijd lieten doorschemeren dat ze niets waard was, zelfs al verstikten de woorden haar, omdat ze haar geen enkele ruimte lieten.

En haar moeder liet begaan en werd ziek, als een vrouw, in stilte. Haar lichaam stond vol uitslag die nooit helemaal verdween. Als ze braakte, paste ze op dat ze geen lawaai maakte, haar verstoorde slaap 's nachts schroefde haar de keel dicht. Maar vooral nooit klagen, want hij had zo vreselijk te lijden. Daarnaast waren haar problemen slechts flauwekul, alleen maar melancholische aanstellerij, voor wie hield ze zich eigenlijk...

Op een dag begon ze les te geven, net als hij, in hetzelfde gymnasium. En in een jaar tijds was alles omgeslagen.

Haar moeder bleek een goede lerares te zijn, in elk geval was ze perfect bekwaam om de kinderen tijdens de lesuren rustig te houden.

Hij was altijd vrij middelmatig geweest, niet geliefd, niet gevreesd. Hij kon geen mens boeien, vooral zijn leerlingen niet, die met hem lachten omdat hij dronk. In plaats van zijn wanhopige onbaatzuchtigheid op te merken, merkten ze zijn stinkende adem op en dreven er de spot mee.

En zo zat haar moeder op een dag toetsen te verbeteren, toen ze door haar vader werd onderbroken. Hij leunde over haar schouder en gaf zijn oordeel over een aanmerking die ze net had gemaakt. Ze richtte haar hoofd zelfs niet op, maar antwoordde met gefronste wenkbrauwen, heel geconcentreerd: 'Sorry, maar ik meen te weten wat ik doe.'

De woede van haar vader was vreselijk. Eerst probeerde hij haar te dwingen zich te verontschuldigen, maar toen ze halsstarrig bleef volhouden begon hij met dingen te gooien en haar als nooit tevoren uit te schelden... Hij kon het idee dat ze zich tegen hem verzette niet verdragen, dat ze, tegen zijn wil in, ergens de kracht vandaan haalde om in zichzelf te geloven.

Van pure onmacht barstte hij die avond in een razende woede uit, als een nukkig kind. Voor het eerst zette hij zijn dreigementen om in daden en begon hij alles stuk te slaan, tot ze hem met grote angstogen smeekte, tot ze als eerste toegaf.

Haar moeder stopte met lesgeven, ze was er helemaal ondersteboven van dat ze hem zoveel pijn had gedaan voor een job die haar eigenlijk toch niet zo boeide.

Maar haar vaders woede bekoelde niet. Hij die het altijd voelde als hij zou klaarkomen en op haar buik ejaculeerde omdat hij te jong was om een kind te maken, en ook omdat hij er niet zeker van was – verre van – dat hij er een met haar wilde, begon haar vanaf die dag te pletter te neuken, helemaal in haar, om haar met een dikke buik op te zadelen, zodat ze wel thuis moest blijven.

Maar ze was nog maar pas zwanger of haar moeder begon opnieuw hoger van de toren te blazen, haar plaats op te eisen. Zogenaamd omdat ze beter op de hoogte was van sommige dingen met betrekking tot haar toestand, 'omdat ik een vrouw ben', antwoordde ze schouderophalend. Haar moeder stelde voor de tweelingen Colette en Claudine te noemen, haar vader verzette er zich uitdrukkelijk tegen. Maar zij gaf niet toe. 'Dan kiezen we allebei een naam.'

En zo geschiedde, de buik werd in tweeën gescheurd.

★ ★ ★

De zaal loopt vol. Aan de ingang wordt de mensen-stroom gefouilleerd, de uitsmijters controleren de tassen en laten iedereen zijn jas opendoen. Eigenlijk zijn ze totaal overbodig, het maakt deel uit van het ritueel.

De mensen ontmoeten elkaar bovenaan de trap, waar ze een praatje slaan, geruchten de wereld in sturen en commentaar geven op het gebeuren. Heavy versie van een mondaine bijeenkomst, de meesten hebben een uitgesproken look – ontkleurd, gepiercet, getatoeëerd, ontbrekende tanden, littekens, hoge hakken.

Nicolas loopt hen voorbij en doet alsof hij haast heeft, bezig is met iets, hij heeft geen zin om oude makkers tegen het lijf te lopen. Het besef dat hij ouder wordt is een te grote schok – al die oude gezichten! Al wat verlept, gerimpeld, een permanent vermoeide uitdrukking met als toemaatje een bittere trek, die hun blik – of wat ervan overschiet – helemaal uitblust.

Ondertussen zit Pauline helemaal aangekleed op de clo-setpot en paft de ene sigaret na de andere. Ze vindt het jammer dat ze daar is. Ze droomt al heel lang van dit ogenblik. Maar met dit spektakel heeft het niets te maken. Het moest haar eigen naam zijn, en Sébastien zou er zijn, in de coulissen. Hij zou trots op haar zijn als hij haar hoorde zingen. En ze wilde ook niet optreden voor die suffe snotneuzen die zich geestelijk laten masturberen en bereid zijn de meest subversieve troep te slikken, zolang ze maar geloven dat ze er een tikkeltje extra persoonlijkheid aan overhouden.

En vooral: ze mist Sébastien.

Het gemis knelt in haar borst, ze probeert al haar mooiste herinneringen op te halen, als een inwendig lied-je dat almaar opnieuw wordt afgespeeld.

Bij hun eerste ontmoeting had ze de draak met hem gestoken, hij zag er wat belachelijk uit.

Hij was ouder dan zij en had een auto, hij bracht haar naar huis terug.

Toen was er die dag: hij had haar voor de deur afgezet, ging op de motorkap zitten en begon grapjes te vertellen. Claudine kwam eraan en voerde haar nummertje op. Toen ze weer wegging, was Sebs enige commentaar geweest: 'Het is vreemd om jullie samen te zien. Ze is ongelooflijk knap, je zus. Maar ze heeft niet wat jij hebt.'

Hij was niet in de war, niet ondersteboven: de eerste knul die lak had aan de charmes van haar zus. Die haar, Pauline, verkoos. Toen ze in zijn armen lag, besefte ze dat hij alles voor haar betekende. En sindsdien had niets, nooit, een eind gemaakt aan hun innige omhelzing.

Tot die dag in maart, het was avond en ze wachtte op hem, boos omdat hij te laat was. Ze zouden naar een film gaan die hem maar matig interesseerde. Toen ze zag hoe laat het was, raakte ze overstuur, ze was ervan overtuigd dat hij het met opzet deed. Tot de nacht viel en ze echt ongerust werd.

De telefoon rinkelt, het is zijn advocaat, Sébastien heeft gevraagd haar te bellen. Hij heeft zich die ochtend laten inrekenen, op het politiebureau hebben ze het over 'de grote vangst', weldra moet hij voor de rechter verschijnen, hij weet niet wat er hem boven het hoofd hangt, hij kan niet antwoorden, het hangt ervan af wie hij verlinkt of niet. De advocaat is tactvol, afstandelijk en beleefd, maar hij trekt er zich geen ene moer van aan, hij doet alleen zijn werk: hij waarschuwt de vrouw van een van zijn cliënten.

Een haarfijne breuk, alles valt in duigen.

★ ★ ★

Achter de deur maken de mensen van de catering zich druk en leveren commentaar: 'Die band hangt me de keel uit, al hun pogingen om modern te doen!'

Een andere stem, ergens anders: 'Als het Amerikanen zijn, vindt iedereen dat vreselijk "cute", maar als het een Franse groep is, kan niemand erom lachen.'

Hun toon is scherp, ze hebben al gedronken, ze proberen elkaar zonder franjes te overtuigen, steriele conversaties met duizenden betekenissen. Iedereen heeft het over iets anders. Zielige ex-kinderen die altijd op de loer liggen, als ze iets maar vaak genoeg zeggen komt het er misschien anders uit, stukjes giftig gebak die men graag ergens zou uitspuwen.

Twee meisjes blijven voor de wastafels hangen, ze hoort hun conversatie. Wellicht wassen ze hun handen, schminken zich bij, kammen hun haar. De ene zegt: 'Tweehonderdduizend vooraf, nou, aardig sommetje...'

'Is het geld voor hen, of voor het materiaal?'

'Voor hen, om ze ervan te overtuigen bij dat label te tekenen en nergens anders. Een voorschot op de geraamde inkomsten.'

'Tweehonderdduizend! Je zult in een klap minder zorgen hebben.'

'Ik hoop het...'

'Al die tijd dat je je voor hem uitslooft, schaamt hij zich niet?'

'Zo is hij nou net, hij schaamt zich toch nooit. Je raadt nooit wat hij me gezegd heeft... Hij wil me tweeduizend per maand geven, voor de facturen.'

'Nee toch?'

'Wat je zegt. Die knul is echt nog een kind. Hij heeft geeneens gesnopen dat ook hij de huur wel eens kon betalen. Geld is alleen maar zakgeld voor hem, het dient om zijn speeltjes te betalen. Oké, misschien heb ik het hem zo gewend gemaakt.'

'Hoe dan ook, je moet gierig zijn om maar tweeduizend te lossen op een bedrag van tweehonderdduizend.'

Ze gaan naar buiten. Dan klinkt Nicolas' stem: 'Ben je er nog?'

Zodra ze de deur opendoet, vraagt hij even te wachten. En terwijl hij staat te plassen: 'Het komt door de plankenkoorts, ik moet om de haverklap piesen. Heb jij dat niet?'

Pas op dat ogenblik beseft ze wat ze voelt: paniek en angst, alsof ze op de hoogste duikplank stond. Die rauwe emotie in haar binnenste, de zenuwachtigheid en het vreselijke verlangen om elders te zijn, alles ongedaan te maken. En toch ook ongeduld om te weten hoe het aanvoelt.

Pauline volgt hem in de gang. Peinzend vraagt ze: 'Is het waar, kun je tweehonderdduizend frank voorschot krijgen om een plaat te maken?'

'Het is mogelijk, maar het overkomt lang niet iedereen.'

'Moet je al bekend zijn?'

'Yep. Of ze moeten stapelgek op je zijn.'

★ ★ ★

Ze staat op een paar passen van het podium, waar geen licht meer is. De eerste rijen van het publiek, samengepakte mensen die staan te praten, rode puntjes van de sigaretten, geroezemoes. Twee geluidsmannen zijn nog op de scène bezig, de ene controleert nog iets, de andere schikt de elektrische draden een beetje anders. Ze voelt haar benen niet meer, alleen nog haar keel, alsof er een afgrond inzit, ze wil niet opkomen. Ze is dood van verlangen om op de scène te staan, ze beeft over al haar ledematen.

Iemand zegt dat ze op moet. Ze bevindt zich in een andere tijd, is zich nergens van bewust, een moment waarop ze op automatische piloot handelt, als onder hypnose.

De scène is in het duister gehuld, de gezichten van de mensen beneden vormen een langgerekte stroom, die begint te deinen als ze opkomt.

Het lukt haar nooit. Ze kan geen vin verroeren, zelfs haar mond niet opendoen. Verblind staat ze onder de schijnwerpers, en het stukje begint. Ze denkt nog net 'ik ben de tekst kwijt en mijn stem doet het nooit'.

Ze schaamt zich dat ze op het podium staat en dat iedereen haar kan zien. Ze voelt zich belachelijk, vernederd. Ze staat te kijk. En ze heeft daar niets, maar dan ook niets te maken, ze staat er maar, overgeleverd aan de blikken van iedereen. Hoe moet ze haar armen houden en haar benen, hoe kan ze ontsnappen, eraan ontkomen?

Nicolas kijkt naar haar. Hij staat in de schaduw achteraan op de scène en bedient het geluid. Hij is wat overstuur, hij is bang dat er iets fout gaat, maar er gaat niets fout.

Je kan zien dat ze zich ongemakkelijk voelt, klunzig. De meeste mensen in de zaal doen geen moeite om te luisteren, ze praten en wachten op de echte groep. Een paar gezichten op de eerste rij zijn aandachtig, ze wiegen wat met hun hoofd. Het is toch al iets.

Maar wat een verdomd meeslepende stem, ongelooflijk zuiver, ze brengt je gewoon in vervoering.

* * *

Pauline en Nicolas keren te voet terug. Het blijft druk op de trottoirs tussen Pigalle en Barbès, verlichte etalages, massa's voorbijgangers. Ze willen naar de hoeren, of ze gaan een glas drinken, of naar een concert, naar de bioscoop, bij iemand op bezoek, een hapje eten..., allerlei mensen met allerlei activiteiten, als een reusachtige draaischijf en iedereen heeft zijn eigen rails...

Na het concert heeft Nicolas vrij veel gedronken, het was de weerslag, hij moest zich afreageren. Lui die zich om hem heen kwamen verdringen, die hem backstage aanklampten. Gefluisterde complimentjes, sommige waren echt gemeend. Pauline wachtte op hem, ze had zich opnieuw in de toiletten verschanst. 'Ik weet niet waar ze naartoe is', zei hij, en al die fans die haar wilden zien, en vleiende woorden uitbraakten. Sommigen drongen harder aan dan anderen, ze wilden hen aan meneer zus of zo voorstellen, contactpersoon spelen. Hij kon niet meer weg, bergen visitekaartjes en telefoonnummers die op een sigarettenpakje gekrabbeld werden. Een succesje. Overweldigend.

Hij heeft Pauline voorgesteld te voet terug te keren, hij heeft nood aan de nog wat frisse avondlucht – het is de overgang tussen twee seizoenen. Onderweg praat hij werktuiglijk met haar.

Ze heeft nog geen woord uitgebracht sinds ze van het podium is afgegaan. Zelfs geen onaardige opmerking.

Ze slaan de boulevard Barbès in, de straat begint nu toch leeg te lopen. Rechts ligt de Goutte-d'Or, als een soort afgrond.

In de verte horen ze brandweersirenes. Ze komen dichterbij, oorverdovend lawaai.

Nicolas zegt: 'Blijkbaar is het ergens in de buurt... Misschien is er iemand gestorven. Vorige zomer hebben ze vlak onder Claudines raam een vent neergestoken. De politie heeft toen de straat afgezet als in een Amerikaanse film, en met krijt het lichaam op de grond getekend. Het voelde vreemd aan, weet je... Je zag het vanuit het raam, niet op televisie. Ze klooiden wat aan, ze haalden de versperring weg en één twee drie stroomde de straat weer vol. Alsof het leven zich over de dood sloot.'

Op het eind van de rue Poulet staat een menigte samengedromd: 'Nou, het is in onze straat!'

Hij gaat sneller lopen, opgewonden en toch wat ontmoedigd: 'Ik hoop maar dat er niemand dood is...'

Pauline hoort zijn geklets, ze vindt dat het allemaal onecht klinkt, hij hangt te erg de straatrot uit.

Ze komen thuis aan, tussen hen en de voordeur is een wit en oranje plastic lint gespannen.

Nicolas richt het hoofd op, kijkt of Claudine aan het raam staat: 'Hé, ze is er niet... Dat is vreemd, een kletskous als zij zou hier aan haar trekken komen...'

Hij wenkt een kerel in uniform: 'Neem me niet kwalijk, we wonen hier, mogen we even langs?'

'Mag ik uw papieren?'

'Ik heb ze niet bij me. Die hebben we toch niet nodig om gewoon naar huis te gaan... Maar binnen zit er iemand op ons te wachten, zij kan...'

Pauline heeft de mensen opzij geduwd, ze staat voor het lint en draait haar hoofd naar Nicolas: 'Zij kan helemaal niets meer.'

Hij begrijpt het meteen, het komt als een stomp in zijn maag aan. Een van de smerissen kijkt Pauline aan en waagt een slimme gok: 'U bent wellicht familie van haar? Oprechte deelneming.'

Nicolas denkt alleen dat hij blijkbaar de enige is die de gelijkenis niet treffend vindt. Pauline aarzelt, wil de waarheid vertellen maar, omdat ze net van het concert komt waar ze haar zus moest spelen, is ze in de war. Haar verbouwereerdheid gaat voor verdriet door. De smeris tilt het lint op, gebaart dat ze door mag en zegt: 'Ze is naar beneden gesprongen. Verschillende buren hebben haar gezien.'

Een man vraagt haar naam, ze antwoordt: 'Ik ben Claudine Leusmaurt.'

Nicolas reageert met vertraging, hij wil tussenbeide komen maar ze is hem te vlug af: 'Ik woon hier. Mijn zus is vandaag aangekomen, we zagen elkaar haast nooit. Het klinkt dom, maar... ik had het kunnen denken.'

De man die haar ondervraagt schrijft alles op in een boekje. Hij gedraagt zich zoals hij het in nogal wat films heeft gezien, hij heeft de gebaren en de houding aangenomen die bij de gelegenheid passen. Alleen laat hij duidelijk merken dat alleen al de gedachte aan de paperassen die hij moet invullen hem vreselijk dwarszit. Hij snuift, vraagt: 'Zat ze daar helemaal alleen?'

'Ja, ik heb net een concert gegeven. Ze kon niet tegen drukte, ze wilde niet meekomen.'

Ze voelt geen enkele emotie, alleen een soort vijandigheid, 'dat mens bezorgt je niets dan ellende', en een mengeling van vreugde en wroeging, het is de derde keer dat ze wenst dat er iemand doodgaat en dat het ook gebeurt: eerst haar moeder, dan haar vader en nu Claudine. Om haar heen alleen maar leegte, zij die moesten betalen hebben hun schuld vereffend.

Het is een vreemd gezicht, al die onbekenden in de kamer die met van alles bezig zijn. In een klap maakt hij deel uit van het decor, een gewone plek staat ineens op pauze en er is van alles aan de gang.

Een man, wellicht een inspecteur, probeert Nicolas aan het praten te krijgen maar hij hangt aan het raam en brengt geen woord uit. Pauline komt tussenbeide: 'Hij is erg gevoelig, hij is waarschijnlijk in shock.'

Ze staat op en trekt aan zijn arm: 'Ga naar huis.'

Ze pakt zijn hand, knijpt haar tot moes en kijkt hem aan. Voor het eerst sinds haar komst kijkt ze hem strak aan, haar blik lijkt wel van staal. Haar greep en haar ogen, alles straalt gezag uit. Ze vraagt: 'Bel je me, morgen?'

Ze wacht tot hij weggaat.

Dan, tot de inspecteur: 'Hij kende haar helemaal niet. Ze woont niet in Parijs, laat hem met rust, het heeft geen zin hem hier te houden.'

'U bedoelt waarschijnlijk dat ze niet in Parijs woonde.'

'Wat een tact, stuk onbenul.'

Nu komt ze pas op dreef, ze kent dat soort situaties, als ze zin heeft om woest tekeer te gaan: 'Smerige hufter, mijn zus is net uit het raam gesprongen en nou komt zo'n klojo me thuis ook al duvelen! Wat zit er in je stomme kop dat je zo debiel bent? Compacte stront zeker?'

Nadat ze zo heeft staan schreeuwen ontstaat er een lichte beroering. Iedereen ziet er moe uit, en blijkbaar is hun collega niet erg populair want ze kiezen partij voor haar, ze vinden het begrijpelijk dat ze zo reageert.

Ze laten Nicolas weggaan.

Zij zet de dingen op een rijtje, alles waar ze moet op letten om haar mond niet voorbij te praten, zich niet te verraden. Nu ze Claudine is geworden mag ze geen enkele vergissing begaan.

★ ★ ★

Hij is naar zijn hok van achttien vierkante meter teruggekeerd. Hij zit op de bedbank die hij heeft opengeklapt om te slapen. Zet zijn koptelefoon op en draait een plaat. Nog altijd onthutst.

De vreselijke banaliteit van het drama dat ergens toeslaat. De efficiënte manier waarop een leven middendoor wordt gesneden. Een paar seconden volstaan, de rest zit in één enkel zinnetje vervat: alles is ineengestort.

Sinds hij klein was heeft hij niet meer gehuild, vanavond zou hij graag zijn tranen laten vloeien. Hij weet niet hoe het zou aanvoelen maar, zoals bij alles wat hij niet kent, koestert hij grote verwachtingen.

Hij blijft roerloos zitten, laat zijn gedachten de vrije

loop. Ze komen en gaan, verscheurende emoties, volslagen willekeurig. Hij heeft de kracht niet ze te ordenen of zich ertegen te verzetten.

Hij voelt zich vreselijk schuldig. Dat hij het niet geraden heeft. Voor een keer dat ze zich blootgaf. En hij is er niet op ingegaan, het kon best wachten.

Het is duidelijk, het zal hem nog lang heugen dat hij het zo'n leuke avond vond. En toen ze te voet terugkeerden... hij weet nog heel goed hoe hij erop zat te broeden welke houding hij moest aannemen, hoe hij bij Claudine verslag moest uitbrengen over het concert, dat hij vooral niet mocht vergeten bepaalde dingen uit te wissen om haar niet te kwetsen.

Maar het spijt hem vooral dat hij Claudine nooit heeft meegenomen op reis, ergens naartoe waar het vredig was, waar haar onrust kon wegebben en uitdoven. Hij verwijt zich dat hij niet over de middelen beschikte, 'kom, we nemen de trein, we smeren 'm, ik denk dat je rust nodig hebt'.

Er blijft een weerzinwekkend en misplaatst idee door zijn hoofd spoken, een walgelijk gevoel van spijt: waarom heeft ze geen brief voor me achtergelaten? En het wil ook zeggen: waarom heeft ze niet op me gewacht, waarom heeft ze me geen kans gegeven om haar te steunen? Telde hij dan helemaal niet mee, wierp hij geen enkel gewicht in de schaal, had hij zo weinig invloed op de troosteloze omgeving?

Eigenlijk vermoedde hij al een paar weken dat er achter haar sluimerende onrust iets schuilging dat nauwelijks om aan te zien was. Hij had heel goed gezien hoe haar leed steeds sneller was toegenomen. Hij had de moed niet gehad zich ermee te bemoeien. Hij dacht dat het wel vanzelf zou overgaan, als zo dikwijls. De kwelgeest valt opnieuw in slaap. Hij ziet een vuurrode vogel met gouden bek die haar borst openrijt en eist dat ze zich die nacht helemaal aan hem zou geven.

Was het noodwendig, stond het ergens geschreven wat er gebeuren moest? Of stelde het helemaal niets voor en had een geluid aan de overkant kunnen volstaan, een telefoontje, iemand op tv voor wie ze een zwak had, om het moment voorbij te laten gaan, alles bij het oude te laten?

Heeft ze meteen na haar daad tijd gehad om spijt te krijgen, om zich te willen vastklemmen, uit alle macht de evidentie te ontkennen en nog te geloven dat ze het zou overleven? Is heel haar leven ineens aan haar ogen voorbijgegleden, en tegelijk het beeld verschenen wie zij was?

* * *

Ze heeft de hele dag geslapen. Veel lawaai op straat, ze hoort het in haar slaap. Een scheldpartij maakt haar wakker, ze staat groggy op, en werpt een blik op straat. Een man wil een vrouw slaan die een jongetje in de armen houdt, zij schimpt erop los en probeert de slagen te ontwijken, daarna zet ze het op een lopen. Het kind huilt en strekt zijn armen uit naar zijn vader. Ze gaat opnieuw naar bed. De geur van de lakens bezorgt haar een vaag gevoel van misselijkheid. De zon beukt tegen haar gesloten oogleden. De telefoon in de kamer ernaast rinkelt om de haverklap, via het antwoordapparaat komen de stemmen als tentakels op haar af.

Later valt het gefilterde daglicht niet langer door de overgordijnen. Ze staat op om iets te eten.

Doffe en pure vijandigheid. Claudine heeft er altijd voor gezorgd dat ze iedereen het leven zuur kon maken. Geen gekonkel was haar te veel, als ze maar de aandacht kon trekken. Wat er die avond gebeurd is: ze was er zo misselijk van dat zijzelf niet in de spotlights stond, dat ze nog liever door het raam kukelde. Ziek van jaloezie en altijd willen opvallen.

De hele nacht heeft Pauline het lastig gehad, massa's onbekenden die ze moest beduvelen. Trance, toen ze beweerde dat ze Claudine was, een soort van blanke reflex. En ze bleef het zich inprenten, 'dat smerige kutwijf, ze wilde me een hak zetten maar in feite bewijst ze me een reusachtige dienst'.

Het komt haar immers goed uit, zich voor haar zus te laten doorgaan tot ze een platencontract heeft getekend. De zaak van die aanbetaling laat haar niet los. Ze zal een enorm voorschot opstrijken, en dan verdwijnt ze met de poen. Stilaan heeft het plan vaste vorm gekregen, het kan niet fout lopen. En Nicolas kent veel mensen, ze is van plan zijn repertoire te gebruiken en het zaakje binnen de maand te regelen. Vóór Sébastien vrijkomt, zwemt ze in het geld en vertrekken ze super-ver hiervandaan.

Ze zit moederziel alleen in de flat. Het is de allereerste keer dat ze zo verdomd alleen is. Alsof ze dronken is geweest en een grote stommiteit heeft uitgehaald.

Overal slingert van alles rond... Open boeken naast het bed, kogelpennen, lipsticks, vuile glazen met een laagje verharde alcohol op de bodem, truien, een keukenrol, een koffiedoos, lege pakjes sigaretten...

In de zithoek hangt een hele muur vol foto's van Marilyn Monroe. In alle poses, op elke leeftijd, vanuit elke ooghoek glimlachen de Marilyns, buigen ze zich naar de camera, willen ze iets, je kan niet zeggen wat, geven ze hun essentie, een eigenheid die niet eens bestaat. De vorige avond nog, toen Pauline de monsterlijke verzameling plaatjes had ontdekt waarop de blondine pronkte, voelde ze zich bedroefd en verontwaardigd tegelijk. Flauwekul van een lellebel die onmogelijk kan snappen dat er niets te vinden is waar zij het gaat zoeken.

Nu ze alleen in de onbekende flat is, denkt ze eraan de foto's los te rukken, wat orde te scheppen in de pathetische chaos. Maar haar zus is er niet meer en het heeft volstrekt geen zin. Net als vele andere dingen die bij haar spontaan opkomen ineens niet meer zo evident zijn.

Het evenwicht moet opnieuw bekeken worden. Tot dan bestond ze als een soort negatief van haar zus, als een kracht die op een andere kracht inwerkt. In haar hoofd heeft ze er een duidelijke voorstelling van: twee vrouwtjes zitten in een bol en duwen met hun voorhoofd tegen elkaar. Als je een van de vrouwtjes wegneemt, valt de andere dadelijk voorover, waar het terrein van de eerste was. Een leegte, een afgrond gaapt in haar binnenste, in één nacht is alles anders geworden.

Buiten klinkt lawaai, ze gaat voor het raam staan. Sinds ze terug is, wordt ze om de tien minuten door de straat aangetrokken, de omgeving is alomtegenwoordig. Een joch begint te hollen, hij slalomt tussen de mensen, twee smerissen zitten hem achterna. Rijkswachters en dieven. De voorbijgangers houden halt, volgen de actie. Daarna keert het trio in omgekeerde richting terug, handboeien om de polsen, aan weerskanten een agent.

Hebben ze Sébastien de dag van zijn arrestatie ook zo laten lopen voor de ogen van iedereen, als een rat in de val?

Ze is niet de enige die voor het venster staat, overal langs de weg hangen de mensen uit het raam en niemand komt tussenbeide, wat er ook gebeurt.

Om de tijd de doden zet ze muziek op en begint te dansen. Dat heeft ze al altijd gedaan, ingewikkelde dansen die ze alleen voor zichzelf uitvoert. Ze begint te zweten, eerst haar schouders, dan haar rug, ten slotte zijn haar dijen vochtig. Ademhalen, hielen, heupen en armen beelden de muziek uit, alles wat ze erin hoort, tegelijk begint ze te zingen, verwarde improvisatie, dagelijkse trance.

De telefoon rinkelt opnieuw, alle stemmen verraden dezelfde slecht gespeelde nonchalance. Die van hem klinkt scherp: 'Met Nicolas. Antwoord je nog?'

Ze stuift naar de telefoon en neemt de hoorn af. 'Hallo', veel echo omdat het antwoordapparaat nog aanstaat. Ze zoekt naar de stoptoets, schrille fluittoon. Pauline schreeuwt dat hij moet terugbellen, ze hangt op. De telefoon rinkelt en hij is het: 'Wel?'

'Ze zijn hier tot zes uur vanochtend gebleven. Alles is goed gegaan.'

'Wat is er goed gegaan?'

'Claudine worden.'

'Wat heeft er je bezield?'

'Het was een reflex.'

Hij zegt behoorlijk nijdig: 'Wat moet ik daarop antwoorden!'

'Kom je langs?'

'Waarom?'

'We moeten praten.'

'Ik weet niet waar je naartoe wilt, maar ik weet dat je het beter niet doet.'

'Bel je vier keer kort, zodat ik weet dat jij het bent?'

Hij stemt toe. Ze wist dat hij dat zou doen. Hij zal ook de rest aanvaarden. Hij is van het slag dat altijd alles fout doet, altijd de verkeerde keuzes maakt en op wie de chaos een grote aantrekkingskracht uitoefent. Ze voelt heel goed aan hoe hij is, waarvoor ze hem kan gebruiken.

Ze hangt op en kijkt naar de troep naast de telefoon. Een reclamefolder voor thuisbezorgde pizza's, een buisje aspirine, het visitekaartje van een schoonheidsspecialiste, het visitekaartje van een journalist, een elektriciteitsfactuur, een oude *Pariscope* waarin van alles met rood en blauw is onderstreept – dingen die Claudine wilde zien – haar telefoonboekje, een nummer op een pakje sigaretten en een agenda vol post-its.

Allemaal rotzooi uit een ander leven. Pauline voelt alweer een vreselijk misprijzen opkomen: zo'n einde, uit het raam springen, een totaal gebrek aan harmonie, totaal klote.

Een videoband zonder etiket, een afgestempeld treinkaartje naar Bordeaux, het programma van een experimentele bioscoop. Pauline glimlacht, 'pornofilms zijn niet meteen jouw stijl, je moest blijkbaar indruk maken op een hoge ome'. Een boekje van tien frank, een bos sleutels die God weet waar vandaan komen, een bijna leeg chequeboekje.

Ze schuift de cassetteband in de videorecorder, drukt op start. Dan pakt ze de sigaretten, vormt het nummer op het pakje en vraagt naar Jacques.

'Hallo, dag, met Claudine, stoor ik niet?'

Op het scherm loopt een videoclip, piepjonge ventjes in maatpak. De fameuze Jacques is erg ontroerd: 'Ik dacht niet dat je terug zou bellen. Nee, natuurlijk stoor je niet.'

Claudine is nu in beeld, korte close-ups van haar kont, niet dat ze echt danst, ze kronkelt idioot, het moet voor sensueel doorgaan maar het is weinig overtuigend. Je zou veeleer denken dat ze mesjogge is. Vreselijk hoge, vergulde hakken, een riempje om de enkel.

'Gaat het niet, miss?'

'Ja, toch wel, fantastisch, maar ik ben kapot.'

'Je hebt je concert gevierd? Iedereen was met verstomming geslagen. De mensen houden niet op erover te praten.'

Hij heeft de stem van een jongeman die voor een meneer wil doorgaan. Hij speelt de rol van flemende beschermer. Pauline vraagt: 'En jij, hoe gaat het met de zaak?' Ze hoopt dat hij dan over zichzelf praat. Ze moet toch ergens beginnen. Claudine is weer in beeld, zelfde outfit maar ditmaal zit ze op handen en voeten, ze beweegt haar armen, waarschijnlijk moet ze een poes of zo voorstellen. Pauline vraagt zich af of ze straks haar voer uit een schoteltje zal eten.

Aan de telefoon somt de fameuze Jacques alle dingen op die hij gaat doen, hij heeft het over tv-programma's voor zenders op de kabel waarvan ze de naam nog nooit heeft gehoord, en over een filmdossier voor een tijdschrift dat nog maar pas bestaat.

Ze luistert met een verstrooid oor, beaamt hem op goed geluk, probeert het in haar hoofd te prenten dat hij zich tot een griet richt die hij naar hartelust op handen en voeten als een kat over de grond kan zien kruipen, op de rug gefilmd.

Eindelijk onderbreekt hij de opsomming van zijn plannen. Pauline snapt niet goed dat je zoveel tegelijk kunt doen en waarom een gevierd journalist als hij, een ontzettend belangrijk iemand, zo met Claudine praat. Hij vraagt: 'En hoe zit het met jou? Jerôme zei dat er chic volk op het concert was? Ze hebben je overal gezocht, maar je was 'm gesmeerd.'

'Ik was moe.'

'Dat maak je mij niet wijs… Wat heb je nou weer uitgevreten?'

Ze geeft geen antwoord. Hij laat zich niet uit zijn lood staan, komt pas goed op dreef: 'Alleen al als ik je stem hoor krijg ik een stijve vanjewelste… Als je hier was, gaf ik dat mooie kontje van je een stevige beurt.'

'Ik ben niet alleen. Ik bel je nog wel.'

Claudine is opnieuw in beeld. Einde van het stuk, ze knipoogt schalks – zo bedoelt ze het wellicht – richting camera. Hoewel, ze heeft meer van een domme koe die blij is dat ze mag gaan grazen.

Pauline zucht. Hardop: 'Stom rund… dat heb je mooi verzwegen toen je vroeg of ik je plaats wilde innemen.

Dat die zwijnen de avond van het concert dachten dat ze mijn kont hadden gezien, dat was je vergeten te zeggen...'

Ze pakt een blanco blad papier. Bovenaan schrijft ze 'Jacques', zijn telefoonnummer, en noteert ze nog: 'Journalist, alle media, kent Jerôme, wist van het concert, hebben geneukt.'

De telefoon rinkelt opnieuw.

* * *

Hij staart Pauline onafgebroken aan. Misschien denkt hij dat zijn donkere blik indruk maakt. Ze laat het over zich heen gaan. Hij komt zeggen dat ze van haar plan moet afzien, hij heeft zijn betoog voorbereid, alleen, nu het erop aankomt zegt hij geen woord. Het kan haar wat, ze kent zijn zwakke plek, hij is veel en veel te omzichtig, zelfs zijn slechtste emoties krijgen een kans. En ze weet wat hem in eerste instantie tegenhoudt. Zoals ze ook raadt wat hem achteraf zal overtuigen.

Ze doet alsof er niets aan de hand was. 'Kopje koffie?' vraagt ze.

En ze staat op om koffie te zetten. Hij kijkt naar haar, ze heeft haar rug naar hem toegekeerd. Ze draait het bovenste stuk van de koffiekan los, slaat met de filter tegen de vuilnisbak om de oude koffie weg te gooien, houdt hem onder de kraan en maakt hem met haar vingers schoon.

Dezelfde gebaren. Ze roepen beelden op van andere ochtenden, toen hij daar na een slapeloze nacht een kopje kwam drinken, middagen dat hij langsliep voor een koffie, van andere avonden, na een etentje. Ontelbare keren heeft hij haar dat zien doen. Haar vertrouwde gestalte. Hij houdt ervan haar te zien bewegen. Intacte flarden van een verloren paradijs, anachronistische restanten die hem in de ban houden.

Na de onrustige nacht moet hij er zich bij neerleggen. De gebeurtenissen hebben geen innerlijk conflict teweeggebracht. Ze hebben hem ondergedompeld in een soort intense kalmte, een onbekende emotie waardoor hij afstand neemt en tot rust komt. Het stille verdriet dat hem heeft ingepalmd is waardig, hij voelt alleen nog de zachte kant van de dingen, proeft alleen de smaak van de herinnering.

Die zus is getikt. Ze lijkt wel bezig met een ritueel dat alleen zij kent. Alsof het de gewoonste zaak van de wereld was en hij onmogelijk kan weigeren, zegt ze: 'Luister es naar de berichten op het antwoordapparaat. Misschien heb ik het verkeerd voor, maar volgens mij willen ze dat we een plaat maken.'

In zo'n situatie verbaast het hem telkens weer dat er niemand is wie hij kan vragen de touwtjes in handen te nemen, zo machteloos voelt hij zich. Haar aan haar lot overlaten. Een dokter roepen. Haar een pak rammel geven, erop los timmeren. Hij beperkt er zich toe geen woord te zeggen. Ze dringt aan: 'Luister, je moet zeggen wat je ervan vindt.'

'Zag je ze vroeger ook al vliegen, of is het de schok van gisteren?'

'Ik hou niet van jouw soort humor, eerlijk gezegd vind ik hem om te kotsen. Als die lui voor zoiets willen betalen, dan maak ik een plaat met hen.'

Hij pakt zijn hoofd met twee handen vast – dat doet hij anders nooit – en bromt: 'Dat zit wel goed, je hebt er de stem voor. Maar daarom hoef je Claudine nog niet te spelen.'

'Het is eenvoudiger zo.'

'Ik begrijp niet goed waarom.'

'Het moet snel gaan. Ik heb geen zin om tienduizend mensen te ontmoeten en me telkens voor te stellen en aardig te wezen. Claudine kende een massa volk, en hoewel er niemand met haar begaan was, hebben haar benen in elk geval een onvergetelijke indruk gemaakt... Sinds gisteren rinkelt de telefoon aan een stuk door, als we haar naam gebruiken kan het heel snel gaan. Mij interesseert alleen de poen, en die kans zit erin.'

'Je droomt. Een plaat maak je niet "zomaar", je moet...'

'Ik droom helemaal niet, luister maar naar het bandje.'

Dan dringt het ineens tot hem door: 'Wat zeg je? "Wij" kunnen snel een plaat maken? Je rekent op mij om...'

'Voor alles. Ik wil niemand zien. Jij zorgt voor alles en je maakt de muziek. Ik wil je niet tegen de schenen schoppen, maar met wat je tot nu gepresteerd hebt, denk ik dat je een kans als deze niet kunt laten liggen.'

'Geen sprake van.'

'Luister naar de berichten.'

Ze zet het antwoordapparaat aan, in het begin luistert hij niet. Haar overmoed fascineert hem enigszins en maakt hem een beetje bang. Haar schaamteloze halsstarrigheid, die meid is gewoon gestoord. En dan dringen een paar namen tot hem door en begint hij te luisteren.

Het komt hem slecht uit, maar hij kan het niet helpen: zijn hart klopt hem in de keel. Het aantal telefoontjes, de geestdriftige voorstellen. Ongelooflijke eensgezindheid. Tijdens het concert is het hem helemaal niet opgevallen. Ze hebben zich blind gekeken op haar.

Als Claudine die dag had mogen beleven. Ze is de vorige dag gestorven. Net waar ze altijd op heeft gewacht: hoge omes die bereid zijn op haar te gokken.

Het is niet zeker dat ze het goed zou hebben opgenomen. Een dag of twee zou ze al haar vijanden hebben opgebeld om hen te jennen. Daarna zou ze de beau monde, die haar zo graag wilde ontmoeten, zijn gaan opzoeken. Om ze vervolgens een voor een te versieren. Elke vent, de een na de ander, een klus die ze netjes en systematisch zou hebben afgewerkt. Ze sprak erover als anderen over een alcoholverslaving. De enige manier om eraan te ontkomen, bestond erin geen mannen te ontmoeten. 'Of toch', verbeterde ze, 'geen man van wie ik voel dat hij naar me verlangt. Ik hoef maar één blik, of zelfs maar een minieme fractie van een blik op te vangen en het is alsof ik bloed geroken heb: ik moet die vent hebben. Ik bedoel niet dat ik hem in mijn bed moet krijgen, nee, hij moet aan mijn voeten liggen. En ik kan er niets aan doen.'

Nicolas was aan de slachting ontsnapt. Al bij hun eerste ontmoeting was dat overduidelijk geweest, hij behandelde haar alsof ze een klein meisje was. Meteen had ze besloten dat ze hem kon vertrouwen.

Alle berichten zijn afgespeeld. Hij geeft zich gewonnen: 'Ik ben onder de indruk, eerlijk waar. Ze zijn razend enthousiast.'

Sinds gisteravond is hij een gebroken man, het heeft zijn ziel geraakt. Hij voelt de dingen vlijmscherp, heeft de indruk dat hij in het volle daglicht staat. Hij zegt nog: 'Oké, je hebt een mooi concert gegeven. Een kronkel in de hersens is bij mijn weten geen bezwaar om goed te kunnen zingen.'

Pauline blijft zwijgend naast hem zitten. Hij begint haar zelfs aan te moedigen, hij geeft haar de raad al die mensen op te bellen en maakt aanstalten om weg te gaan. Zij blijft onverzettelijk, ze is ten prooi aan een acute crisis van autisme, ze kijkt naar haar knieën, houdt haar handen krampachtig aan weerskanten van haar stoel en sist tussen haar tanden: 'Ik zei al dat ik niet ga. Als jij het niet voor me doet, ga ik naar huis terug en is het afgelopen.'

'Dat zou pas jammer zijn.'

Ze valt hem in de rede: 'Het zou een soort zelfmoord betekenen.'

'Zoals je wil.'

Buiten rijdt de reinigingsdienst voorbij, lawaai van de vuilnisauto en de bakken die worden opgetild gekanteld leeggemaakt.

Nicolas wil een punt achter het gesprek zetten: 'Ik heb absoluut geen zin om hier nog langer te blijven.'

Ze veroorlooft zich de luxe van een spottende glimlach en beweert: 'Natuurlijk heb je daar zin in.'

Hij glimlacht droevig, nee, ze is echt niet goed wijs. Alleen, net op dat moment vraagt hij zich af wat hij gaat doen als hij buiten is. Waar moet hij naartoe en bij wie kan hij terecht, om over welke ongelooflijk belangrijke dingen te praten? Ze heeft gelijk, hij wil blijven. Tussen die muren met de zottin, en zich vergapen aan de onbetamelijke gelijkenis.

Ze zegt: 'Een glas whisky zou er wel ingaan.'

Hij antwoordt dat hij een fles gaat kopen.

Onderweg maakt hij zichzelf nog wijs dat hij haar wil overreden. Maar eigenlijk weet hij dat hij met haar scheep gaat. Iets in hem staat open voor de gekte van de anderen, van sommigen die hij erkent, en hij vergaapt zich wát graag aan hun grilligheden.

* * *

De ramen in Claudines zithoek zien op de rue Poulet uit. Nicolas en Claudine hebben elk hun raam gekozen, ze hangen naar buiten en wisselen nu en dan een paar woorden.

Ze kijken naar beneden. Een man loopt voorbij met een gitaarkist in zijn hand. Een paartje loopt de andere richting uit, ze houden elkaar in een stevige omhelzing, ze praten niet maar vertragen eensgezind om elkaar onder elk raam te zoenen en wandelen dan verder. In de flat aan de overkant zit een man op het toetsenbord van zijn pc te tikken.

Pauline draait haar glas met het gouden brandende goedje rond, ze heeft het gevoel dat alles eenvoudiger is geworden. Haar verlangens zijn rechtlijniger, minder tegenstrijdig, de dingen worden duidelijker en beter omlijnd. En ze lacht vrijuit. Ze vergeet zich af te vragen hoe ze eruitziet, en of het klopt wat ze zegt, op heel wat vlakken laat ze zich gaan en ze voelt zich opgelucht. Ze vraagt: 'Waarom heeft ze het gedaan?'

'Ik voelde me vast minder stom als ik dat wist. Ik was haar makker, dat dacht ik toch, haar vriend in barre tijden. Wel, het enige wat mijn garnalenverstand was opgevallen, was dat ze er stevig tegenaan ging... Nou, ik drink zelf zo veel dat het me doodnormaal leek. Ik vond het absoluut niet strange, dat je liever teut bent, als je ziet hoe we leven.'

'Hoe zag haar leven eruit?'

'Ik dacht dat jullie regelmatig telefoneerden?'

'Ze loog de hele tijd. Ze was altijd al een fantaste, daar-om was ik op mijn hoede..., maar ik had nooit gedacht in die mate. Ze zei dat ze poen schepte, bergen. Ze zei "hier in Parijs ligt het geld overal voor het oprapen, je hebt geen idee. Laat je met de stroom meedrijven, en de lotto is voor jou... en reken maar dat ik met de stroom meega, ik zwem in het geld". Ik heb wat in haar spullen gesnuffeld, er zaten bankuittreksels tussen. Eerst was ik razend dat ze een werklozenuitkering kreeg, ik dacht dat het een combine was om nog wat meer te trekken, hoewel ze tot over haar oren in het geld zat. Toen heb ik nog wat beter gezocht, wel, daarnaast verdiende ze haast niets...'

Nicolas geeft geen commentaar, hij laat haar begaan

en profiteert ervan dat ze dronken is om haar uit te horen. Ze drinkt opnieuw, een klein teugje, ze is razend over wat ze te weten gekomen is. Daar gaat ze weer: 'Ze zei dat ze danseres was, dat ze een massa plannen had, maar te weinig tijd om alles te doen. Moderne dans, sinds ik hier ben, heb ik gesnopen waar 'm het moderne zit, in die dans. Idem dito voor dat concert: zoals ze het me voorstelde, was het een en al edelmoedigheid van haar kant, eigenlijk had ze me zelfs niet nodig. Ze kende iedereen, de hoge omes te velde belden haar voortdurend op, ze waren allen crazy about her. Er was veel geld mee gemoeid, had ik geluk zeg dat er een paar kruimels in mijn schoot zouden terechtkomen. Misschien was het inderdaad daarop uitgedraaid, maar zij wist in elk geval nergens van. Lady Blaas Hoog van de Toren...'

'Hier is iedereen zo. Behalve zij die zich geen air hoeven te geven, omdat ze het al gemaakt hebben. Hier in Parijs kun je beter niet verliezen. Als je zomaar toegeeft dat je mislukt, schrik je de anderen te veel af, een loser brengt je in opspraak, want het is besmettelijk...'

'Maar dat geldt voor iedereen. Waarom wilde ze per se een beter leven dan de anderen?'

'Omdat het menselijk is. Nooit van gehoord: *Ik wil leven en niet overleven! Een twee een twee drie vier. Ik wil niet leven, niet overleven?*'

Hij gaat van het raam weg en begint een soort dansje uit te voeren. Beurtelings gooit hij één been, dan het andere naar voren, terwijl hij op de plaats blijft huppelen, trappend in het ijle. Zijn hoofd beweegt van links naar rechts, tegelijk neuriet hij een deuntje.

Pauline kijkt naar hem. Ze vindt het vreemd dat hij zich zo laat gaan. Je zou denken dat er ooit een ander in hem huisde, die daar nog altijd een beetje woont. Zoals de fameuze poppetjes, een nieuwe Nicolas die een andere verhult, maar soms duikt een jongere Nicolas weer even op, om wat te dansen.

Ze begrijpt dat hij echt dronken is. Hij ziet vuurrood, zweet ook een beetje. Hij gaat door: 'En die, ken je die: *Van revanche gesproken, ik hield het voor een levensstijl, het was slechts een leven in de stijl?*'

Hij blijft zijn vreemde dans uitvoeren, maar met aaneengesloten voeten nu, hij beweegt zijn armen alsof hij een soort crawl zwemt, of een onbekende jerk danst.

Pauline voelt zich niet op haar gemak als hij zo doet. Ze vindt hem grappig. Maar ze voelt zich niet op haar gemak als hij zich in haar aanwezigheid zo laat gaan. Hij laat iets zien waarvan hij nuchter niet zou willen dat ze het zag.

Er wordt verschillende keren op de muur gebonsd.

Hij houdt meteen op, buiten adem, en schreeuwt: 'Ik heb je gezegd nooit meer op de muur te slaan, smerige knar!'

Maar hij begint niet opnieuw te springen. Hij zoekt op tafel naar zijn aansteker, duwt de lege bierflesjes opzij, tilt een tijdschrift op en vraagt: 'Ben je dan zo alleen? Is er dan niemand uit je vorige leven die je zou missen als je hem nooit meer terugzag?'

'Nee.'

Ze reikt hem de aansteker aan die ze in haar hand hield, dan duwt ze haar glas in zijn richting om het weer te laten volschenken. Ze doet de moeite om erover na te denken, te zoeken hoe ze het moet zeggen: 'Als je het me vijf minuten voor ik het deed had gevraagd, zou ik gezegd hebben dat ik best tevreden was met mijn leven. En dat was de waarheid. Ik was best tevreden met mijn vrienden, ik kende ze al altijd, ik was best tevreden met mijn thuis… Ik heb me nooit echt beklaagd. En toen had ik die reflex. Ik kon niet anders. Het is zo duidelijk dat er echt geen plaats is voor spijt.'

'Nu is dat zo, het is de terugslag van het nieuws. Maar over twee weken ben je van de schok hersteld en wil je terug naar huis. Maar dan is het niet meer mogelijk.'

'Gedane zaken nemen geen keer.'

Nicolas probeert het te begrijpen: 'Waarom haat je haar zo? Hield je vader meer van haar?'

Het is als een grapje bedoeld, alleen, die zit raak. Pauline verstijft, ze probeert het zelfs niet te verbergen, en ze knijpt haar ogen iets meer toe: 'Heeft zij dat gezegd?'

Claudine had het nooit over haar ouders. Tot die avond had Nicolas er nooit aandacht aan besteed. Ze had met geen woord over hen gerept. Hij bevestigt: 'Ja, dat zei ze... Ze zei dat haar vader haar aanbad, maar dat hij in jou wat teleurgesteld was.'

Ze begint te huilen. Dikke, verlossende tranen van 40° Celsius. Ze is verbaasd dat het haar zo oplucht, dat ze zoveel verdrietige tranen in voorraad had.

Nicolas kijkt naar haar, hij maakt geen beweging, hij begrijpt niet goed wat hij heeft losgemaakt, maar het was dat laatste glas: daardoor spreekt ze met een dikke tong, zit ze op haar stoel genageld en raakt ze niet meer uit haar woorden. Hij bromt alleen nu en dan: 'Ik zou geld geven om dat teweeg te kunnen brengen.'

★ ★ ★

Tot ze tien waren nam hun vader Pauline overal mee. Claudine haatte hem erom.

Een dag in de vakantie, een kamer met een stapelbed. Het was in de bergen, denkt ze, want ze herinnert zich dat ze winterkleren droegen.

Ze zaten met vrienden aan tafel, en vader had zijn nummertje opgevoerd. Drank in overvloed tijdens de maaltijd, en hij trok wat harder van leer dan gewoonlijk. Hij bleef de kleine Claudine strak aanstaren, zij zonk haast onder de tafel. Hij zag eruit alsof hij bijna moest kotsen, 'ik kan nauwelijks geloven dat jullie uit dezelfde buik komen'. Toen begon hij haar te bestoken waar de genodigden bij waren. Ook zij waren het liefst onder de tafel verdwenen om aan zijn vragen te ontkomen, 'ze lijken op elkaar, maar toch is een van beiden het lelijke eendje. Of niet? Het is vreemd eigenlijk, je kunt het nauwelijks merken, het ligt aan die koeachtige blik in haar ogen, je krijgt zin om haar een klap te geven. Of niet soms?'

Ze was een kind, ze had de leeftijd waarop ouders altijd de waarheid zeggen, wat ze ook zeggen en hoe monsterlijk het ook is.

De vrienden waren vroeger dan gepland weggegaan, het was duidelijk dat ze boos waren. Vader had een paar minuten lopen ijsberen, toen had hij Claudine bij zich geroepen: 'Kom hier, jij. Besef je wel hoe je me voor schut hebt gezet? Besef je het wel, klein mispunt? Kom, je krijgt een pak voor de broek, hier.'

En hij knipte met zijn vingers zoals je een hond roept. Het meisje was gekomen, ze had zich laten afranselen.

Moeder, die er toen ook bij was geweest, schreeuwde: 'Hou toch op, maak je niet zo boos, het is niets, stop...'

En toen hij weg was, had ze Claudine overeind geholpen, gezucht: 'Het is ook altijd hetzelfde, hé. Probeer es wat minder op te vallen. Ga naar je kamer. Pauline, liefje, ga met je zus spelen. Probeer ervoor te zorgen dat ze niet te veel lawaai maakt, dat papa tot rust komt.'

Op haar kamer was Claudine tegenover het raam gaan zitten, ze wiegde heen en weer en neuriede iets tussen haar tanden.

Pauline had lang geaarzeld, naar woorden gezocht en was toen achter haar zus komen staan. Ze snotterde en raakte nauwelijks uit haar woorden: 'Weet je, als hij zo tegen je praat, is het net alsof hij het tegen mij heeft.'

Ze had niet gemerkt dat haar zus plots haar schouders

spande, ze was doorgegaan, echt in tranen: 'Heus, als hij je slaat, dan voel ik de klappen ook.'

Claudine was opgestaan en had zich naar Pauline gekeerd. Ze had haar zus bij het haar vastgepakt. Pauline schreeuwde niet, hun ouders mochten niet naar boven komen. Claudine had haar op het bed gesleurd: 'Weet je zeker dat je het voelt?'

Ze rukte zo hard aan haar zusjes haar dat die haar hoofd niet kon bewegen, en begon er op los te slaan, haar vuistjes beukten zo hard mogelijk op Paulines gezicht. Om haar echt pijn te doen had ze het hoofdkussen gepakt, en drukte het met beide vuisten tegen het gezicht van haar zus. Om er zeker van te zijn dat ze haar hoorde, had ze gegild: 'Vreemd, want als hij jou een zoen geeft, voel ik niets.'

De deur was opengevlogen. Opgeschrikt door de kreten was vader binnengekomen. Hij had Claudine van haar zus losgerukt en tegen de muur gegooid: 'Nou is het genoeg geweest. Hoor je me? Ik ben ten einde raad.'

Moeder had Pauline in haar armen genomen, ze zoende haar aan één stuk door, 'toe nou maar'. De ene was een schatje en de andere een kreng.

Een paar jaar later zouden de rollen ongemerkt worden omgekeerd.

* * *

Toen was er die zomer, misschien was het de volgende zomer al, waarin vader ontdekte dat hij een groot talent voor fotografie had. Na een paar weken begon hij het wat lastig te vinden om Pauline overal mee naartoe te slepen. De opvoeding van zijn kleine meisje kon hem niet langer boeien. Hij had andere dingen aan het hoofd, belangrijke dingen. De keren dat hij thuiskwam voor ze in bed lagen, werden hoe langer hoe zeldzamer...

Daarna was hij een lange poos nooit meer thuisgekomen. Hij had niets tegen de meisjes gezegd, een paar spullen gepakt en toen had hij moeder meegedeeld: 'Om creatief te zijn heb ik afzondering nodig.'

Pauline bleef mama's kindje. Toen hun vader voor hun verjaardag niets van zich had laten horen, kwam ze bij het bed van Pauline staan, die samen met haar zus op één kamer sliep: 'Ach liefje, papa heeft er niet aan gedacht je voor je verjaardag te bellen. Hij is jou ook al vergeten... net als je arme mama.'

Ze had de deur dichtgetrokken zonder iets aan Claudine te zeggen. Een gemene streek, de schok kwam dubbel zo hard aan.

Claudine verkneuterde zich in het donker, ze zong halfluid: 'Papa is zijn lieve kindje vergeten... O wat hield hij van zijn kleine meisje. Maar nu houdt hij van een ander... liefje helemaal alleen.'

Pauline steunde op een elleboog: 'Hou je mond, we moeten slapen.'

'Wist je dat zijn nieuwe vrouw een dochtertje heeft dat op jou lijkt? Maar hij zegt dat hij meer van haar houdt dan van jou.'

'Je liegt, hij heeft geen nieuwe vrouw, hij is weggegaan om te werken, hij moest wel.'

'Natuurlijk is het waar! En je weet het maar al te goed.'

Pauline incasseerde de slag, ze kruiste haar handen in haar nek en haar stem klonk alsof ze een sprookje vertelde: 'Nee, dat weet ik niet. Maar ik heb gehoord dat mama, toen we klein waren, abortus wilde plegen. Toen deden de vrouwen het met een kleerhanger. De vrouw heeft de kleerhanger ingebracht en geprobeerd de baby los te maken, maar ik hield je te stevig vast, en het is haar niet gelukt. Want jij zat onderaan, en daarom heb jij de klappen van de kleerhanger op je kop gekregen toen je nog een baby was. Daarom is er iets mis met je hersens.'

Ze voelde hoe haar zus in haar bed ineenkromp. Claudine liet een zwak protest horen: 'Dat is gelogen.'

'Nee hoor, papa heeft het me verteld maar ik heb het je nooit gezegd om je geen verdriet te doen. Ik heb gewacht tot je elf was.'

Toen begon Claudine te grienen, ze kon het niet helpen. Moeder was teruggekomen, en met een slaperig stemmetje had Pauline geklaagd: 'Mama, ik kan niet slapen. Claudine doet opzettelijk alsof ze huilt, om me te pesten.'

'Claudine, hou op met die komedie of je zult er spijt van krijgen.'

En moeder trok de deur dicht. Toen begon Pauline op haar beurt te zingen: 'Je vindt jezelf een taaie, maar je bent een doetje.'

★ ★ ★

Pauline was tijdens de afwezigheid van haar vader met zanglessen begonnen. Ze was ervan overtuigd dat hij zou terugkeren als ze iets deed dat in zijn ogen goed genoeg was.

Op woensdag, te midden van ander klein grut, leerde een oude dame hun 'paar peer poort' uit te spreken, waarbij ze de medeklinkers moesten laten knallen, hun stem van hoog naar laag laten glijden, en op de juiste toonhoogte zingen tot ze buiten adem waren.

De oude dame had een zwak voor Pauline, na de les liet ze haar even nablijven: 'Je moet thuis oefenen, vergeet het niet. Je hebt een hele mooie stem, je moet haar dagelijks oefenen, het is even belangrijk als je schooltaken.'

En het meisje vergat het niet. Ze zong zo goed als ze kon, hoe langer hoe beter, in de stille overtuiging dat ze zo haar vader kon laten terugkeren.

melde kat lijkt hij wel. Breekbaar. Hij zal haar helpen. Ze heeft gezien hoe hij en Claudine met elkaar omgingen, hoe sterk hun onderlinge band was. Het had haar geen-eens verwonderd als die band plotseling concreet zicht-baar was geworden. Hij zal alles doen om ervoor te zorgen dat ze tekenen. Als hij maar een groot voorschot kan bedingen.

Ze heeft nog geen concrete plannen, maar de twee-honderdduizend waar ze voor het concert over hoorde praten, blijven haar het hoofd op hol brengen. Ze heeft geen zin op televisie te komen, of haar foto in de krant te zien, of in een clip te dansen zoals haar zus deed. Ze wil dat hij er vaart achter zet, en dat hij een vette cheque loskrijgt. Daarna verdwijnt ze met Sébastien, zonder hem te waarschuwen, en hij moet zijn eigen bonen maar doppen.

Ze springt overeind, het is ineens opgekomen. Met haar mond vol kots haast ze zich naar het toilet.

* * *

De volgende ochtend drinken ze cola met aspirines. 'Het lukt nooit, zelfs al wilde ik je helpen.'

'Hou alsjeblieft op problemen te scheppen waar er geen zijn. Toen ik klein was verwarde iedereen me al met haar. Zoiets verandert niet van de ene dag op de ande-re...'

Hij merkt toch een paar vage gemeenschappelijke karaktertrekken op. Het resultaat is verschillend, maar ze spruiten uit dezelfde bron voort.

Ze zoekt een notitieboekje en komt naast de telefoon zitten: 'Voor je ergens aan begint kunnen we misschien naar de berichten luisteren? En ondertussen brief je me over elke spreker.'

Met de pen in aanslag zegt ze: 'Er is ook wat met de post gekomen...'

Hij gaat zitten, klaar om van wal te steken. Pauline heeft drie kolommen gemaakt: job, persoonlijk, onbekenden. Ze vult de kolommen zorgvuldig in, vooral het lijstje onder job. Als ze klaar zijn gaat ze de brieven halen, ze geeft ze ongeopend aan Nicolas en schrijft iets in haar notitieboekje. Druk in de weer. Ze pakt de dingen systematisch aan, geen spoor van paniek.

Het is eigenaardig hoe erg ze op elkaar lijken, wat hij in het begin ook mocht beweren.

En bij haar blijven, meegaan in haar combines betekent dat hij niet alles verliest, dat Claudine opnieuw tot leven komt. Hij begint eraan zoals iemand met heroïne begint: hij is ervan overtuigd dat alles onder controle is, dat het niet uit de hand loopt. Hij begint eraan, terwijl hij een massa fake excuses uitvindt: ik laat haar in de waan dat ik het doe, en dan overtuig ik haar op te houden met die pantomime, ik breng haar tot rede. Hij begint eraan en maakt zichzelf wijs dat hij er niet aan begint.

Pauline schrijft nauwgezet op wat hij vertelt: 'Hier heb je een ansichtkaart van Julie. Claudine is dol op haar, maar ze zien elkaar weinig. Ze is cool, en ze heeft een kind. Ik ken haar niet zo goed, het is een moordgriet, ongelooflijk, een stripteaseuse. Ik geloof dat ze in het dertiende arrondissement woont. Ik weet het niet zeker... En dat is een briefje van Laurent, een van haar oude makkers.'

'Ik herken het handschrift, ik weet wie hij is, laat maar zitten.'

'Hoe pak je het aan met de mensen die jullie allebei kennen?'

'Ik doe gewoon zoals zij, zodra iemand zijn mond opendoet begin ik dom te lachen, als er iemand in mijn billen knijpt zeg ik "nou, wat denk je wel?" en bij elke opmerking tuit ik mijn lippen en zeg "jeetje, geen idee, daalt maar een heel klein beetje. Op die hoge hakken is het niveauverschil krankzinnig, een levensgevaarlijke onderneming. Ze loopt voetje voor voetje, net zo geconcentreerd als op een evenwichtsbalk – niet tegen de grond smakken waar iedereen bij is.

De mensen bekijken haar. Sommigen draaien zich zelfs om. En anderen nemen de vrijheid haar ongestraft aan te gapen, haar benen, haar kont, haar borsten, haar mond. Er zijn er die glimlachen, allerlei geluidjes maken om haar aandacht te trekken, fluiten. Ze heeft zin om de voorbijgangers weg te jagen, maar ze kan alleen met afgemeten pasjes verder lopen en doen alsof ze niets merkt.

Aan de kant staat een man met een caddie maïs te venten, het ruikt naar geroosterd. Hij roept haar, zijn stem klinkt aardig en enthousiast, alsof hij met een hond wilde spelen. Een van kop tot teen gesluierde vrouw wacht op haar maïskolf, ze bekijkt haar uitvoerig. Je ziet alleen haar spiedende ogen, naar woede zwemend misprijzen. De verkoper laat niet af, zelfs als Pauline al een heel eind is opgeschoten, blijft hij herrie maken. Ze is honderd percent publiek, toegankelijk, ze vraagt erom dat iedereen zich met haar bemoeit. Hoe kan het anders, met die kleren?

Een blik op het uitstalraam van een juwelier, overal goud en wekkers. Haar eigen gedaante. Ze weet niet of ze huilen moet of lachen. Het lijkt wel of ze iemand anders ziet. Ze hield het niet voor mogelijk dat ze zo op straat kon lopen zonder dat iemand het uitriep: 'Wat 'n boerenbedrog!' Haar houding, haar gesublimeerde benen, haar gedaanteverandering. En niemand die beseft dat ze helemaal niet zo is. Voor het eerst beseft ze dat geen enkele vrouw zo is.

Ze heeft het einde van de boulevard bereikt – haar hielen liggen al open –, ze wacht om over te steken, een menigte mensen. Een hand glijdt langs haar heupen; een obsceen, langzaam gebaar, een hand betast haar nadrukkelijk, blijft even op haar kont liggen. Ze draait zich om, ze kan onmogelijk zeggen wie wat heeft gedaan: staat die vent daar niet te lachen en trouwens, wat moet ze hem zeggen? Meer dan een duwtje heeft Pauline niet nodig om op de grond te donderen, het zijn niet alleen die schoenen, maar ook haar te nauwe jurk. Het licht springt op groen, ze volgt de menigte naar de andere stoep. Kijkt even opzij, wat een ellendige buurt, het lijkt wel een andere stad, een andere eeuw ook. En toch heeft het ook iets levendigs, overal wordt vrijuit geschreeuwd en gelachen.

De duiven aan de metro Barbès koeren en schijten op de zuilen, twee venten proberen meloenen te verkopen. Veel volk, naast haar loopt een vrouw zacht te zingen, ze heeft een mooie diepe stem. Een man deelt roze kaartjes uit, kaartjes van een maraboe – de grond ligt al vol groene, blauwe of gele kaartjes.

Ze loopt door een open passage, beseft ineens dat je daar niet kunt betalen, je belandt rechtstreeks in de metro zonder langs de tourniquets te lopen. Pauline kruist twee jonge meisjes, hun borstjes zijn nog niet volgroeid, ze dragen een erg spannend pantalon en hele hoge schoenen met vierkante hakken. Een topje dat hun buik bloot laat. In het voorbijgaan schelden ze haar voor hoer uit. Ze blijft staan en draait zich naar hen om. Het tweetal heeft het in de gaten. Ze vertragen en de ene roept geïrriteerd, 'wat moet je, klerewijf, waarom gaap je me zo aan?' De voorbijgangers beginnen trager te lopen, drie meiden die staan te schreeuwen, straks vliegen ze elkaar in de haren of... Voorbijgangers die meteen samentroepen.

Een groenteverkoper vaart lachend uit: 'Maak je niet druk, juffertjes, kalm aan...' en tot een collega 'als die furies beginnen, kan het er stuiven', gevolgd door een kwinkslag, genre 'zo'n spektakel mag je niet missen'.

Het scheldende meisje heeft iets potigs, iets kloeks. Ze ziet er vrij brutaal uit. Vreemd toch, juwelen om de polsen, opgemaakte ogen, uitgedost als een prinses, maar heel haar manier van praten en bewegen doet denken aan een bokser. Ze begint meteen te tieren dat ze het niet verdraagt, hoor je, stom kutwijf, ik verbied je zo'n toon aan te slaan. Pauline staat aan de grond genageld en stamelt: 'Zo praat je toch niet, onder vrouwen.' Waarop de andere in lachen uitbarst: 'Wie denk je dat je bent, jij dwaze witte snol', haar vriendin trekt aan haar mouw, 'laat maar, je ziet zo dat ze getikt is. We piepen 'm, straks komen we nog te laat.' Ze staan te midden van een groepje mensen, maar niemand komt tussenbeide, de aandacht is weggeëbd. De gsm van de hatelijkste griet rinkelt in haar handtas, ze neemt de tijd Pauline aan te kijken, haar ogen schieten vuur, 'onder vrouwen... vuile pot'.

En ze gaat ervandoor. Pauline is opnieuw alleen, maar vrijwel meteen komt er een vent op haar af. Hij boezemt vertrouwen in, die heer met z'n grijze slapen. Hij is wat groter dan zij, hij legt een hand op haar onderarm, 'u mag hier niet blijven staan, juffrouw, kom...', en trekt haar mee. Ze steunt op zijn arm om de trap op te lopen, haar enkels doen pijn. Hij voegt eraan toe 'dit is geen buurt voor een schattig ding als u, veel te gevaarlijk... U bent niet van hier, neem ik aan?'

Alsof het perfect normaal was dat er buurten bestaan die niet voor haar zijn. Hij vraagt waar ze naartoe gaat, loopt met haar mee tot het perron. Het doet hem plezier bij haar te zijn, hij wijkt geen duimbreed van haar zijde, hij zegt 'ik blijf bij u tot uw bestemming, zo hebt u geen last meer van ongewenste ontmoetingen'. Alsof het doodnormaal was dat er iemand bij haar moet zijn.

Pauline schudt haar hoofd, vraagt hem haar met rust te laten, ze zegt 'ik zou graag alleen zijn'. 'U hebt geen idee', en de kerel begint aan te dringen, complimentjes te geven ook. Alsof dat haar plezier moest doen, complimentjes over haar kledij, 'je ziet het niet vaak, tegenwoordig, een jonge vrouw die in de smaak wil vallen bij de mannen'. Alsof dat jammer was, alsof het om een plicht ging.

Ze kijkt strak voor zich uit, ontwijkt zijn blik. Verafgoodde zijn moeder hem – de erg galante oude heer – misschien zo dat hij is gaan geloven dat alle vrouwen er zijn om lief met hem te wezen en 'bij hem in de smaak te vallen'? Valt het bij hem in de smaak dat ze als een hoer is opgedirkt en moet ze daar blij om zijn? Ze zegt opnieuw dat ze alleen wil zijn, hoe langer hoe norser, maar hij reageert niet boos, veeleer geamuseerd, alsof ze een kind was. Ze geeft hem een harde duw, 'nou laat je me met rust'. Opeens is hij niet langer zo galant, tussen zijn tanden, vlak bij haar, 'en dan klagen als ze je in een hoekje te grazen nemen, hè?' Ze herhaalt dat hij weg moet gaan, dat hij haar verstikt, ouwe bok, zo aardig als hij is en maar aan één ding denkt, haar een beurt geven met zijn kromme smerige pik, en zij zou lief moeten wezen, en hij is er nog altijd niet vandoor. Zijn ogen staan opeens anders, hij zegt iets maar hij denkt iets anders: 'Wat heb je verloren in de Goutte-d'Or, hè? Ik volg je al de hele tijd, je neukt graag met negers, hè?' En ze duwt hem met beide handen weg, vergeet haar hakken en haar rok, en weer staan de mensen naar haar te kijken, hij laat zich niet wegsturen, hij fluistert: 'Wil je die van mij zien? Als je je graag laat naaien door een knul met een stevig exemplaar, dan ben je bij mij aan het juiste adres... Nou, dacht ik het niet, je kickt op de pik van een neger!'

Een jongere kerel met een paardenstaart komt tussenbeide, hij heeft een nogal dierlijke kinnebak maar gaat

ZOMER

Hitte. Hoe luchtig ze zich ook kleedt, het is altijd te veel.

Op zaterdag bereikt de herrie in de straat een ongekende hoogte. Pauline wordt om de haverklap gestoord door het aanzwellende tumult en komt voor het raam zitten. Een explosie van kleuren op het trottoir, mensen wandelen langzaam voorbij, houden halt, herkennen iemand, blijven in groepjes van vijf of zes staan aan de hoek van een gebouw, boodschappentas op de grond. Als het tot een handgemeen komt of tot een scheldpartij, kan het lang duren.

Hetzelfde ogenblik breekt een vreselijk kabaal los, Pauline vat post, ze wil weten wat er aan de hand is. Een politieauto staat in de rue des Poissonniers, twee smerissen pakken een vrouw op die sluikwaar aan de man bracht. De mensen eromheen laten hun ongenoegen blijken want de vrouw bijt van zich af. De smerissen zijn zenuwachtig, ze zijn wel met zijn tienen maar toch knijpen ze 'm – vijandige buurt, te veel volk op straat. Iemand keilt een glas uit een raam. Pauline ziet hoe de straat leegloopt, de mensen gaan ervandoor, eerst langzaam, daarna zetten ze het op een lopen. Haar ogen prikken, ze hebben traangas gegooid, ze doet de ramen dicht. Het stinkt overal, ook in de omliggende straten, een vieze geur van bange smerissen die gevaarlijk kunnen worden.

In geen tijd staan er wel twintig politiemannen zij aan zij, niet echt overtuigend maar in elk geval arrogant. Een man met een kind komt zijn beklag maken, hij is over z'n toeren – kunnen ze dat niet anders aanpakken? Hij krijgt de wind van voren. Pauline wacht tot de geur afneemt om het raam weer open te zetten, ze buigt zich opnieuw voorover, zowat de hele buurt hangt uit het raam en kijkt naar de klabakken op straat. Ze wenste dat iemand hen aanpakte om hen es mores te leren.

Ze ligt op haar buik en neemt de post van haar zus door.
Elke ochtend schuift de conciërge een aantal enveloppen onder de deur. Verbazend, zoveel brieven. Lange brieven, kattebelletjes in een verzorgd of petieterig handschrift, hanenpoten, ontroerende wendingen of idiote uitdrukkingen die op haar lachspieren werken. Maar in al die brieven gaat het over de liefde, men sprak alleen daarover met haar zus. En niet alleen over seks, wat Pauline eerst dacht. Ze had een hele verzameling minnaars en aanbidders aangelegd.

De platte snoefster die de hele tijd ratelde, 'ik ken meneer zus, ik verdien zoveel, ik ga om met meneer zo' vergat een belangrijk stuk van haar leven te vermelden. Ze schepte nooit op 'als je eens wist hoe gek ze op me zijn', hoewel dat volstrekt het enige was waar ze prat op had kunnen gaan. Pauline heeft grote kartonnen dozen in een kast gevonden, vol met dat soort brieven – liefdesverklaringen of bittere verwijten. Er zitten nogal wat brieven tussen die ze nooit heeft opengemaakt, ze liggen samen met de rest begraven. De hartstocht van al die minnaars voelt vreemd aan, nu hun brieven hier opeengestapeld liggen. Verschillende handschriften, en toch zijn bepaalde passages, hele stukken tekst woordelijk dezelfde. Telkens opnieuw keert bij al die mannen hetzelfde refrein terug, 'met een ander kan het nooit zo wisten niet wat het was, ze hadden niets meegemaakt. Hij kon over niets anders meer praten: het corvee, de cipiers, de overige bajesklanten, de loeren die ze elkaar draaiden... Waarschijnlijk staat hij erop, koestert hij zijn verdriet, zijn enige oogappel.

Hij heeft voorgesteld hem met de auto te brengen, het was best aardig van hem. Trouwens, Sébastien was blij dat hij op het bezoekuur kwam, het bracht toch een beetje afwisseling.

Nu hij vrij is, vindt hij het klote dat hij hem kent. Een bord aan de kant, nog vijftig kilometer tot Parijs. Lijdzaam ondergaan.

Hoe dikwijls, veel te vaak, heeft hij zich deze dag voorgesteld. De vrijheid, opnieuw aanknopen bij de dingen, de wereld die zonder hem voortdraaide, opnieuw voet aan wal zetten. Buiten zijn. Uitzinnig van vreugde zou hij zijn bevrijding moeten verwelkomen.

En nu is het alleen maar 'dat'. Rotweer, een kar die niet opschiet en naar zweetvoeten ruikt.

Maar misschien is het uitgerekend dat wat zo'n goed gevoel geeft. Kunnen klagen over pietluttigheden die deel uitmaken van een leven, kleine tegenslagen die je niet meteen tot wanhoop drijven.

'Je vrouw wacht dus op je in Parijs?'

De vraag wekt zijn vijandigheid op. Sébastien verontschuldigt zich: 'Ik heb geen zin om erover te praten. Je mag het me vooral niet kwalijk nemen...'

'Jaja, ik ken dat, hoor... Ik weet wat het is.'

Pauline verwacht hem niet. Hij heeft haar niet gezegd dat hij vervroegd vrijkwam, zogezegd wilde hij haar verrassen. Maar als hij heel eerlijk is, wilde hij twee dagen voor zichzelf. En hij weet heel goed wat hij zolang wil doen, wat al die weken in zijn hoofd is blijven spoken, uiterst scherpe beelden vermengd met herinneringen, die hem gek maken. Elke keer hetzelfde, alleen elke keer wat erger.

Zodra het achter de rug is, is hij er nog vreselijker aan toe dan nu. Hij weet het uit ervaring. En toch kan hij het niet laten.

Hij ziet hoe hij met zijn smoel tegen de grond ligt en een regen van schoppen in zijn gezicht krijgt. Hij wenste dat iemand hem te grazen nam en een geweerloop tegen zijn slaap drukte, een aantal schoten loste. Dan hoefde hij niet langer te zijn wie hij is.

Toch wilde hij dat hij er al was.

'Het is normaal dat je zo bent, breek daar je kop niet over.' Een kerel uit zijn cel had dat gezegd, zijn armen in de nek gekruist. Urenlang had hij met hem gepraat. Hij had er geen tekening bij hoeven te maken, de ander had het één-twee-drie begrepen. 'Het meisje in het rood uit de clip van gisteren?' Geen geil, samenzweerderig toontje, geen schunnige opmerkingen tussen kerels die het over dezelfde kut hebben. Hij had alleen berustend zijn hoofd geschud: 'Ach, iedereen is zo, waarom zouden er anders zoveel hoeren rondlopen.' Daar kon niemand iets aan doen.

★ ★ ★

Pauline steunt met haar ellebogen op de vensterbank van haar kamer.

Een zwarte trui slingert op straat, één mouw opgevouwen, op de stoep gevallen. Een gesluierde vrouw steekt de straat over. Een fiets is vastgebonden aan de verboden-richtingpaal, hij staat er al dagen, zonder wielen. De smerige luiken aan de overkant, de uithangborden PMU LOTTO METRO aan de tabakswinkel, fruit en groenten aan de Number One, de uitbater veegt het trottoir schoon, hij draagt een pet. Alle voorbijgangers volgen hun eigen weg, hun baan is nooit identiek.

Nicolas is een poosje geleden weggegaan. Een stuk vroeger dan anders. Omdat ze het vertikte te praten, heeft hij ten slotte beloofd 'ik ga zo snel mogelijk met hen praten, ik zeg dat we van mening veranderd zijn en de hele som ineens willen opstrijken'. Ze heeft alleen haar schouders opgehaald, 'doe wat je niet laten kunt', alsof dat het probleem niet was. Een plotse aanval van paranoia, ze had niet aan de joint mogen trekken, ze krijgt dat elke keer. Ze is ervan overtuigd dat hij iets in de smiezen heeft, dat hij weet wat ze van plan is. Ze heeft bewust vermeden erover door te bomen. Morgen kan ze er weer over beginnen, of later – voorzichtig te werk gaan, niet overhaast. Eerst moet ze er zeker van zijn dat hij geen argwaan koestert. Pas daarna mag ze checken dat hij het nodige doet. Als ze maar alert blijft, dan loopt alles goed af.

De telefoon rinkelt, drie keer, dan komt het bericht, altijd hetzelfde, biep en de stem steekt van wal, zenuwachtig, overspannen.

Ze trekt het gordijn dicht en gaat zitten. De telefoon rinkelt opnieuw. Ze voelt een scherpe steek in haar buik. Ze zoekt naar de stekker op de plint en neemt zich voor hem uit te trekken als het nieuwe bericht is ingesproken. Ze luistert nauwelijks naar het antwoordapparaat maar de naam doet haar hevig schrikken: 'Met Sébastien, ben je er niet?'

'Ja, ik ben thuis… Maar jij, waar ben jij?'

'Beneden. Mag ik naar boven komen?'

'Ben je echt beneden?'

'Geef je me de code?'

Ze wacht voor de deur, ze begrijpt niet wat hij buiten doet, nog minder hoe hij het geraden heeft dat ze bij haar zus is. Eerst is ze bang. Dat hij haar in die outfit ziet, want ze heeft geen tijd meer om iets anders aan te trekken. Zal hij denken dat ze gek is? En wat ze gedaan heeft, ze had gehoopt dat ze er nooit over zou moeten praten. Zal hij ontgoocheld zijn en verdrietig? Zonde dat ze dit moment verpest, de dag van hun weerzien, waarop alles helder en blij moest zijn.

Ze denkt aan de schmink op haar lippen. Badkamer, ze veegt zich met een handdoek schoon, kijkt in de spiegel, te veel verf voor hem, veel te veel. En hij belt al aan. Ze stormt naar de deur.

In zijn armen. Dit lijf uit één stuk, ze kent het door en door, ze is niets vergeten, ze liggen in elkaars armen, het is alsof ze weer adem kan halen.

Dankbaar dat hij haar eerst omhelst en zo lang tegen zich aandrukt voor hij vragen begint te stellen. Dat hij haar niet veroordeelt voor hij uit haar mond verneemt wat er aan de hand is. Ze kan niets anders uitbrengen dan: 'Ik ben zo blij dat ik je weerzie.'

Dan komen de bruuske gebaren, het lange wachten heeft hun verlangen aangewakkerd, een explosie. Hij omhelst haar als nooit tevoren, uitzinnig omdat hij haar al die tijd heeft gemist: 'Kom Claudine, we gaan naar je kamer.'

Hij trekt haar aan de hand voort, loopt recht naar de slaapkamer.

Ze volgt hem. Van haar neus over haar verhemelte-keel-borst tot diep in haar buik, van kop tot teen voelt ze zich verscheurd. In haar binnenste bonst haar hart als een machine, een lawine die alles meesleurt en niets overeind laat, ze wordt op de grond gesmakt, verbrijzeld – ledematen, brosse beenderen, meer schiet er van haar niet over.

Ze zegt geen woord. In de kamer gaat hij op het bed zitten en kijkt haar aan met de blik van een wild dier. Een zweem van een glimlach, brutale vreugde, zacht trekt hij haar tegen zich aan: 'Ik wacht al zo oneindig lang op dit ogenblik, Claudine.'

* * *

Ze laat hem begaan. Ze is ervan overtuigd dat hij zijn vergissing vanzelf zal inzien. Ze wacht. Te gegeneerd om in te grijpen.

Ze laat zich aanraken. Hij kleedt haar behoedzaam, uiterst langzaam, uit. Hij verslindt elk ontbloot lichaamsdeel aandachtig met zijn ogen, met zijn vingers, daarna met zijn tong en zijn mond. Dat gezicht heeft ze nog nooit gezien. Bezeten door een hartstochtelijk verlangen, in zijn ogen brandt vreugde, verkropte woede ook.

Ze had vroeger moeten spreken. Nu is het te laat. Ze wil niet dat de dingen gebeuren die nu gaan gebeuren. Ze wil de afloop niet kennen. Toch laat ze zich beminnen zoals iemand zich levend zou laten villen.

Alles wat je van de ander niet weet. Hij heeft het allemaal voor haar verborgen gehouden.

Ze ligt op haar rug. Hij zit op zijn knieën naast haar. Met één hand houdt hij haar hoofd vast om zich te laten pijpen. Zijn andere hand ligt op haar boezem, hij kneedt haar borsten koortsachtig tot het een beetje pijn doet en als ze zich probeert te bevrijden voelt ze hoe hij zijn pik heftiger in haar mond drukt, hoe zijn opwinding nog groter wordt.

Hij laat haar regelmatig van houding veranderen, zwijgend. Hij pakt haar vast en brengt haar in de juiste positie. Ze heeft het gevoel dat ze een heel pretpark is, in haar eentje. Ze steunt op handen en voeten, hij corrigeert haar welving, hij beukt in haar buik tot hij tegen de bodem stoot. Hij duwt haar kont open, ze blikt over haar schouder, gefascineerd betast hij haar achterwerk, gaat hij zijn gang. Zijn ogen staan duister en aandachtig, alsof hij ieder ogenblik met een nest adders te maken kan krijgen.

Ze heeft de indruk dat ze een oog tegen het plafond is. Ze voelt hem komen en gaan, het klappen van zijn hand op haar billen. Maar het is alsof ze niet aanwezig is, alsof ze het van een afstand meemaakt. Ze denkt aan iets anders, wat ze daarna moet zeggen, hoe het gewoonlijk is als ze vrijen. Ze denkt: 'Hij neukt mijn zus, hij is het gewoon. En zij is het die hem zo buiten zichzelf brengt, knotsgek, onherkenbaar.' Zelf heeft ze nooit dat effect op hem gehad. Hij had niet graag dat ze hem in haar mond nam, hij pakte haar bij de hals en trok haar naar omhoog, met een verlegen lachje, 'ik hou er niet van als je dat doet'.

Hij wentelt haar opnieuw op de rug. Legt haar dijen aan weerskanten van zijn nek en begint heel zachtjes heen en weer in haar buik te glijden, zijn ogen aan de hare gekluisterd. Het is niet mogelijk dat hij haar aankijkt zoals nu en toch niets merkt. Dan begint hij sneller te bewegen, hij neukt haar methodisch, hij kijkt alleen nog naar haar borsten die naar alle kanten gaan en hoe meer ze trillen, hoe harder hij tekeergaat. Zoals hij snel heen en weer beweegt, geeft het een haast pijnlijk, brandend gevoel.

Ze is nog elders met haar gedachten, 'hoe dikwijls is hij bij haar op bezoek gekomen', als ze voelt hoe haar lichaam – in weerwil van zichzelf is niet het juiste woord, ze heeft er geen moment aan gedacht zich te verzetten, zo ondenkbaar is het – op zijn avances ingaat. Zijn tempo is trager, ze heeft haar bekken opgericht en houdt haar handen stevig onder haar rug, zodat hij weer diep in haar kan komen. Hij richt zijn hoofd op, als een loper die dicht bij de eindzege is, ze hoort hem zeggen 'nou, het heeft lang geduurd, maar je bent toch weer klaargekomen'. En ze kreunt. Een hele tijd, ze heeft geen idee hoe lang het duurt, hangt ze aan zijn onderlichaam gekluisterd, hij heeft iets geraakt dat ze niet kende, een grote gevoelige absorberende ruimte van wel duizend diepten. Hij houdt zijn adem in, apneu, hij baadt in het zweet, neukt haar als een bezetene.

Ze komt weer tot zichzelf, haar geest neemt afstand van het gebeurde. Hij stoot een soort gegrom uit. Het geluid dat ze kent, hetzelfde als altijd. Maar bij haar is het een kreunen, vandaag is het een luide schreeuw. Eindelijk laat hij zich op haar vallen, stuikt hij ineen. Zijn lichaam is klam, wat te zwaar. Ze bevrijdt zich zacht, hij vraagt 'wil je nu al dat ik me terugtrek?' Ze knikt en schuift opzij.

Ook als hij met Pauline seks heeft, blijft hij graag een lange poos in haar.

Hij pakt een van haar borsten vast, geeft er een zoen op en fluistert 'ik ben gek op je tieten'. Hij glimlacht en staat op om zich af te spoelen.

Ook dat doet hij meestal, op de badkamer wast hij zijn pik en kijkt hij in de spiegel hoe hij eruitziet.

Achter de muur hoort ze hem uit volle borst zingen, 'ik ben stapelgek en smoor op jou', stelt hij zich aan.

Hij liep zonder aarzelen naar de badkamer. Hij is hier thuis.

Hij steekt zijn hoofd door de deur: 'Ik heb honger, heb je iets in huis?'

'Ga je gang.'

'Blijf liggen, ik kom terug.'

Ze ligt met gespreide armen. Ze kan toch niet eeuwig blijven zwijgen. Ze kent dat gevoel, als Claudine zich haar liefste bezit toe-eigent. Een oude herinnering waarmee ze niet meer hoefde af te rekenen, ze dacht dat ze er voorgoed van verlost was. Nu dat gevoel terug is, herkent ze het meteen, keihard, maar zo was Claudine altijd.

Ze staat op en kijkt hoe hij in de keuken bezig is, hij ziet haar niet. Hij zet koffie, hij weet waar de filters staan en welke blikken doos hij moet nemen, de doos met suiker.

Ze gaat weer op het bed liggen. Hij komt eraan met een dienblad vol eten. Hij is uitgelaten. Hij gaat naast haar zitten, zoent haar in de nek: 'Ziezo, ik ben vrij. Vóór ik bij je was, besefte ik het nog niet goed... Maar nu ben ik vrij.'

Hij spreidt zijn armen, om te genieten van de ruimte en al de lucht die hij kan inademen. Dan buigt hij zich voorover: 'Hoe dikwijls ben je klaargekomen?'

Als een vraag die hij al dikwijls heeft gesteld. Pauline trekt hem naar zich toe, ze krijgt tranen in haar ogen, en ze zoent hem zoals ze anders zou doen als ze samen waren. Ietwat verrast duwt hij haar opzij, nog altijd even opgewekt als daarnet: 'Momentje, ik heb reuze honger, dat is voor straks.'

En hij schiet in de lach: 'Laat me toch even op krachten komen...'

★ ★ ★

Hij heeft gegeten, gebabbeld zonder te beseffen dat ze er niet op inging. Nu is haar keel zo dichtgeschroefd dat ze geen woord meer kan uitbrengen.

Hij heeft het over haar: 'Morgen, voor ik vertrek, moet ik Pauline bellen. Heb je nieuws van haar?'

Ze schudt haar hoofd. Hij slikt het laatste stukje sandwich in: 'Hebben jullie ruzie gemaakt?'

Met veel interesse in zijn stem. Ze kan nog altijd niet zeggen wat ze moet zeggen.

Hij gaat weer naast haar liggen, dicht tegen haar aan. Ze herinnert zich op slag hoe ze dat lijf gemist heeft, zijn aanwezigheid die haar hielp in te slapen. En dat hij alles betekent voor haar, hij is haar enige bron van tederheid. Ze voelt hoe hij zijn hand direct tussen haar benen laat glijden. Ze schuift opzij, hij houdt haar tegen en lacht: 'Probeer je me nog meer op te hitsen of wat? Hou op, wedden dat je helemaal vochtig bent?'

'Hou op.'

Ze gaat overeind zitten en steekt een sigaret op, schraapt zich de keel om haar stem helderder te laten klinken. Ze zegt, ze heeft het niet eens voorbereid: 'Weet je dat die aardige mevrouw Lentine, je weet wel, de buurvrouw, ineens is doodgevallen.'

Hij gebaart dat het hem weinig kan schelen: 'Nou ja, ze was al vrij oud. Wanneer heeft Pauline je dat laten weten?'

Ze glimlacht, alsof het een domme vraag was: 'Dergelijke burenhistories bespaar ik Claudine liever. Je weet dat ik weinig praat. Ze is op straat gevallen. Morsdood.'

Hij maakt een grimas, het gezicht dat hij zet als hij een slechte mop hoort: 'Dat heb je me nog nooit gelapt. Je kunt er beter mee ophouden.'

Ze wrijft in haar oog, doet alsof ze hem niet hoorde. Ze gaat door: 'De hufters van het water hebben trouwens nooit iemand gestuurd om de ketel te vervangen. Telkens als ik de warmwaterkraan openzette, ging ik door het lint. Wat een pummels, heus, ongelooflijk...'

Hij pakt haar bij de arm. Ook dat gezicht heeft ze nog nooit gezien, ze is bang dat hij het haar betaald zet: 'Hou op, Claudine, als je wil praten, zeg dan meteen wat je op het hart ligt... Maar zulke spelletjes speel je niet.'

Hij wringt haar pols haast om, zij slaat haar ogen neer: 'Ik wist niet goed hoe ik het je moest zeggen. Ik heb haar plaats ingenomen, twee maanden geleden.'

★ ★ ★

14 juli. De straatjongens laten voetzoekers afgaan, een zekering brandt door. Drie dagen duurt het al. Harde en minder harde knallen, er komt geen eind aan. In het begin sprong ze keer op keer op, 'hoorde ze een schot?' En dan wen je eraan, zoals je aan alles went, vrij snel trouwens.

Ze ligt op bed, de middag loopt op zijn eind en de gordijnen van de kamer zijn nog altijd dicht. De veren van het matras staan in haar rug getekend, in harde wijde cirkels. Zo is ze al dagen aan een stuk, ze doet niets, ze hoort alleen hoe het antwoordapparaat aanslaat, hoe de mensen op straat elkaar de huid vol schelden, hoe de jongens op de trap spelen. Hun moeder roept hen, ze luisteren niet. Zij moet naar boven komen om hun een bolwassing te geven. Ze blijft liggen, ze drinkt thee met een plas melk erin, steekt een sigaret aan en draait zich op haar buik om haar op te roken.

Te midden van andere beelden is er weer dat beeld, het staat haar haarfijn voor de geest, het is meer aanwezig dan het heden. Ze zit op handen en voeten op het bed, hij heeft zijn witte T-shirt nog aan, hij draait haar op de rug zodat ze hem met haar hoofd achterover kan pijpen. Ze knippert met haar ogen om het beeld weg te jagen, nergens aan te denken, alles stop te zetten en dat glasheldere gevoel te verdrijven. Keer op keer krimpt ze ineen – een reactie, een bittere pil om door te slikken. Die vreselijke schaamte, hard als een roodzwarte muur.

Ook ditmaal werkt het slecht, haar hersens sturen haar hetzelfde beeld opnieuw toe, hij spreidt haar dijen open en leidt haar hand, ze moet zich vingeren. Hij slaat zijn blik geen moment van haar af. Gefascineerd door de ruimte tussen haar benen.

Ze draait haar hoofd naar de muur, alsof ze het beeld fysiek naar de maan wenst, dat het alsjeblieft bij iemand anders gaat spoken.

Verschillende lagen van emoties die in een lichaam samenwonen, maar waterdicht van elkaar zijn afgesloten. Een niveau van woede en verslagenheid, een van gemis en schaamte, een van opluchting, een van dof verdriet.

Haar nagels zijn niet schoon, hun lengte is ongelijk, er

zit wat zwart onder. Ze staat op om haar handen te wassen, de witte zeep schuimt overvloedig en geurt lekker, ze laat het lauwe water over haar handen stromen.

Opnieuw de telefoon, walgelijk knagen. Sébastien belt de hele tijd, hij spreekt geen bericht in, hangt ook niet op.

Soms belt hij aan de voordeur, ze verstijft als ze hem hoort, haar hart slaat op hol. Ze wil niet openmaken. Ze wacht tot hij weg gaat.

Alles is zinloos geworden, een wereld vol mieren.

Die dag, toen ze het hem gezegd heeft, aarzelde hij even. Voor hij begon te praten trok hij zijn pantalon en een T-shirt aan. Een eigenaardige voorzorg.

Ze maakte van de stilte gebruik: 'Je kunt beter uit mijn ogen verdwijnen. Onze huissleutels liggen bij Armand. Ik schrijf je wel als je daar bent.'

'Wacht es even... Ik begrijp niet goed wat...'

'Nou, er zijn een boel dingen die ik ineens maar al te goed begrijp. We zetten dit gesprek een ander keertje voort, oké?'

Ze duwde zijn reistas in zijn handen, drong hem naar de ingang. Hij liet begaan. Ze voelde goed dat zijn ontreddering haar niet koud liet en dat ze van alles tegelijk wilde, maar vooral niet dat hij wegging. Toch deed ze de deur open, ontweek zijn blik en wachtte tot hij naar buiten ging. Ze wilde hem doodgraag tegenhouden, doen alsof er niets abnormaals gebeurd was. Toen hij op de trap was, boog ze zich over de reling en gilde: 'En bravo voor je nummertje, ik wist niet dat je zo'n kei was.'

De deur klapte dicht.

Ze zit op de sofa. Eigenlijk is ze niet eens verrast. Het absoluut onmogelijke verbergt zich achter de sluier van het ongerijmde. Geen moment is het bij haar opgekomen 'heeft hij iets met mijn zus?'

Maar nu ze het weet, kan ze zelfs achterhalen wanneer het begonnen is, kan ze een lijst maken van de keren dat hij haar zus heeft opgezocht. Onbewust heeft ze altijd geweigerd het verband te leggen of het door te hebben. Ze wilde vooral niets te weten komen.

En zo was het goed.

Ze waren er niet meteen mee begonnen. Toen Sébastien en Pauline nog maar pas samen waren, gedroeg zuslief zich natuurlijk als altijd. Ze draaide om hem heen. Als ze zich vooroverboog om iets te pakken dat naast hem stond, droeg ze toevallig een uitgesneden T-shirt. Als hij het over een van zijn favoriete groepen had, was het toevallig die groep waar zij 'kapot' van was – 'Te gek!', en haar ogen schitterden als ze dat zei. Als hij het over een land had dat hij wilde bezoeken, wilde ook zij daar naartoe, en sinds een hele poos al – 'Dat kan niet, dat heb je vast van Pauline!' Ze had allerlei attenties voor hem, boeken die hij moest lezen, een videoband die ze hem leende, een film die hij moest zien.

Zulke streken waren typisch voor haar. Ze bekokstoofde haar plannen niet met opzet om Pauline te pesten of om haar vriendje af te snoepen. Ze kreeg dat sowieso, telkens als er een man in de buurt was. Op slag werd ze onrustig, een vuur dat dringend geblust moest worden. Ze wilde bestaan, hij moest haar op zijn minst zien staan, een erectie gold als bewijs dat ze wel degelijk daar was.

En haar manoeuvres hadden altijd gewerkt, tot Sébastien gekomen was.

Op een dag, ze waren nog geen vijftien – Pauline weet het nog zeer goed, het was haar eerste echte verliefdheid. Een zachte en treurige jongen, hij leek wel voor haar gemaakt. Ze liepen al een paar weken handje in handje. Ze zaten bij haar ouders thuis in de tuin, witte plastic tafel en banken. De jongen was er ook, maar hij liet de kans onbenut: ofwel drong het niet tot hem door, ofwel deed hij alsof zijn neus bloedde. Claudine sloeg op tilt, ze raakte buiten zichzelf, ze begon te zuchten 'shit, zo heet zeg' en trok haar T-shirt uit, keek hem strak in de ogen met een hoerige glimlach. Hij sloeg rood uit, wendde zijn blik af. Ze ging op het gras liggen, raakte haar borsten aan alsof dat de gewoonste zaak van de wereld was, ze streelde zichzelf, een hele vertoning.

Toen ze later, omstreeks de avond, samen praatten, hoorde Pauline haar zeggen: 'Ik vrij graag met mannen die veel ouder zijn dan ik, ze hebben zoveel meer ervaring met de vrouwen.'

Terwijl ze nog nooit met iemand naar bed was geweest. De jongen wist niet waar hij het had, ten einde raad stelde hij Pauline voor: 'Lopen we even naar de stad?'

Ze had hen ongeveer vijf minuten alleen gelaten, de tijd om naar boven te gaan en een trui aan te trekken, haar haar te kammen. Toevallig keek ze door het slaapkamerraam en had ze hen gezien. Zij lag op tafel, hij tussen haar benen met zijn pantalon op zijn enkels.

Pauline bleef wat treuzelen, en toen ze weer beneden kwam was de jongen verdwenen. Zuslief had haar schouders opgehaald: 'Hij was het wachten zat. In elk geval, wat een lamstraal, vind je niet?'

Het was de allereerste knul met wie ze gevrijd had.

Van toen af aan vond Pauline het normaal dat haar zus haar al haar vriendjes afsnoepte. Zij had iets wat ze zelf niet had, iets wat de mannen wilden.

Dus bracht ze uit eigen beweging elk nieuw vriendje mee naar huis, zodat hij haar zus kon ontmoeten en er met haar vandoor kon gaan. Tot Sébastien gekomen was, de eerste die van haar niet wilde weten.

Bij hem had Claudine het vrij snel opgegeven. Ze konden het te slecht met elkaar vinden. Je kon ze niet samen in een kamer alleen laten of ze begonnen elkaar uit te schelden.

Claudine bracht hem buiten zichzelf: 'Kan die nooit haar klep houden? Zo'n kutwijf, altijd zet ze de boel op stelten. Trouwens, ze is niet om aan te zien, ze ziet eruit als een goedkope snol.'

De eerste twee jaar gingen ze elkaar uit de weg en was er niets gebeurd.

En toen moest Pauline stage lopen. Ze belde de eerste avond naar huis, alles was oké, alleen wilde de auto niet meer starten, niets aan te doen. Sébastien had net een tijdelijke job gevonden, in de voorstad, een heel end rijden. Hij was nogal bedrukt, eindelijk had hij werk en nou kon hij er niet naartoe en hij had al zijn vrienden al gebeld, niemand kon hem een auto lenen.

'Telefoneer naar Claudine.'

'Nee.'

'Je moet niet overdrijven. Je vraagt gewoon haar auto, je vraagt niet om met haar op vakantie te gaan.'

'Ik zie wel, ik moet er in elk geval iets op vinden... Shit, voor een keer dat ik plannen heb.'

Als ze hem de volgende dagen opbelde, was hij er nooit.

Toen ze thuiskwam, vroeg ze hem: 'Waar zat je iedere avond? Je nam nooit op.' Gewoon om het te weten, zomaar. Maar hij was uitgevaren: 'Nou, links en rechts een glas wezen drinken. Ik hoef toch niet alles op een papiertje te schrijven?'

Hij zei ook: 'O ja, Claudine heeft me uit de nood geholpen met de auto.'

'Hebben jullie ruzie gemaakt?'

'Nee... Weet je, je zus is veranderd. Ze stelt zich minder idioot aan. Trouwens, ik moet er nog een keertje terug. Ze heeft me geholpen, en in ruil heb ik beloofd haar voorlicht te vervangen. Maandag komt me goed uit.'

'Stom, maandag werk ik, dan kan ik niet meekomen.'

'Tja, de rest van de week heb ik geen tijd.'

Alles was weer als vroeger, alleen mocht ze hem wekenlang niet meer zoenen als ze hem in huis tegenkwam. Het irriteerde hem: 'Raak je het nooit beu zo aan mijn lijf te klitten?' Vroeger was hij altijd teder geweest, nou leek het wel dat hij al maanden genoeg van haar had. Wat ze ook deed, hij kreeg het ervan op de heupen.

Misschien was hij gespannen omdat hij nooit werk vond. Er waren ook zijn vreselijk vervelende driftbuien geweest.

Nu beseft ze het pas, hij maakte die scènes na een avondje uit met zijn vrienden. Na een hele nacht, natuurlijk: 'Dacht je soms dat we na een paar glazen naar bed gingen? We drinken de hele nacht, we praten over alles en nog wat, we verbeteren de wereld, zo gaat dat.'

En toen was het afgelopen. De twee minnaars hadden opgehouden elkaar te zien.

Ze herinnert zich nog het afscheidsfeestje om Claudines vertrek naar Parijs te vieren. Sébastien wilde er niet naartoe, Pauline had aangedrongen.

'We gaan nooit samen ergens naartoe, nooit... Kom, we lopen even aan, we drinken een glas, praten met een paar mensen en we nemen meteen ook afscheid van haar.'

'Ik heb geen zin.'

'Alsjeblieft.'

Toen ze daar aangekomen waren, voelde ze zich ineens onwel, een plotselinge hoofdpijn. Ze had Sébastien apart geroepen: 'Ik ga naar huis, blijf jij nog even.'

'Ik loop met je mee.'

'Blijf nou, ik ga meteen naar bed, jij vindt het hier best leuk.'

De volgende ochtend was hij thuisgekomen, hij had geen woord gezegd. Vanaf die dag, ja, vanaf die dag was hij vreselijk neerslachtig geworden.

Toen kwamen de reizen daarheen. Hij ging naar Parijs, 'voor zaken'. Nooit had hij gezegd dat hij Claudine zag.

Maar nu heeft ze het door, telkens als hij uit Parijs terugkwam, werd hij ziek. Het was echt fysiek, keelontsteking of razende tandpijn of meer van die heerlijkheden – telkens als hij terugkwam.

Alleen, het ging goed tussen hen. Dus wilde ze niets weten. Als alles maar hetzelfde bleef.

* * *

Opnieuw de telefoon. Nicolas, met een beduusd stemmetje: 'Ik wil je antwoordapparaat niet overbelasten, maar ik heb mijn paniekdrempel bereikt, hoe gaat het met je…'

Pauline neemt de hoorn af, de eerste keer in drie dagen: 'Ik had rust nodig. En jij, alles kits?'

'Veel beter nu ik je stem hoor.'

'Mag ik me een paar dagen gedeisd houden zonder dat ik me hoef te verantwoorden? Waar was je nou weer bang voor?'

'Dat je ineens aardig was geworden. Ik ben eraan verslaafd, ik zou het vreselijk missen als je ophield me de huid vol te schelden.'

Ze gebaart altijd dat zijn achterlijke humor haar aan

116

het lachen maakt. De illusie levendig houden dat het klikt tussen hen, ook al blijft ze knorrig.

Maar door altijd te doen alsof, is het een soort reflex geworden. Ze vergeet dat ze hem een mafkees vindt, dat ze niet blij is als ze hem hoort, dat ze geen zin heeft hem te zien. Haar antwoorden rollen er spontaan uit, ze luistert niet meer naar de stem van haar verstand: het is alleen maar doen alsof.

Nicolas schraapt zijn keel, hij klinkt alsof hij ergens verveeld mee zit: 'Er zijn een paar dingen die we moeten bespreken...'

Heftige opstoot van adrenaline: natuurlijk heeft hij een vermoeden, ze slaat in paniek, het hart klopt haar in de keel. Ze krijgt zichzelf weer onder controle, haar gezicht is een hermetisch masker. Zich goed houden, ze hoeft zichzelf niets te verwijten. Ze stelt voor: 'Kunnen we elkaar zien, vanavond?'

Hij stemt ermee in. Langs haar neus weg een paar vragen afvuren, uitzoeken welke redenen tot onrust ze eigenlijk heeft. Ze vraagt: 'Je klinkt nogal down, heb je slecht nieuws of zo?'

'Niet echt prettig, nee. Maar ook niet om je zorgen over te maken. Is acht uur oké? Ik blijf niet lang, daarna ga ik naar een tuinfeest.'

'O ja? Misschien kunnen we samen gaan.'

Aan de andere kant blijft het even stil, dan zucht Nicolas: 'Ik probeer je al drie maanden uit je tent te lokken, en uitgerekend vandaag wil je met me meekomen!'

'Wel, ik ben het beu hier de hele tijd alleen te zitten. Waarom zou het vandaag slechter uitkomen dan gisteren? Alleen om me te duvelen?'

'Nou, ik zie je straks wel, we praten erover. Wedden dat je dan geeneens meer mee wil.'

'Je weet maar nooit...'

Kort lachje, nogal groen en pissed off, dan haakt hij in.

Ze weet niet goed wat ze moet denken. Misschien maakt ze zich nodeloos zorgen en wil hij het over iets anders hebben. Hoewel, de andere mogelijkheid mag ze ook niet uit het oog verliezen: hij is hypocriet genoeg om haar nu gerust te stellen, om haar vanavond pas goed te grazen te nemen. Nooit je vijand onderschatten, er altijd van uitgaan dat hij niet voor je moet onderdoen. Misschien gedraagt hij zich met opzet als een volslagen idioot...

Ze moet genoeg wilskracht verzamelen om vanavond met hem naar dat feest te gaan. Ze heeft er absoluut geen zin in. Alleen, ze moet hier weg. De cirkel met Sébastien als middelpunt doorbreken, verstrooiing zoeken, die waanzin moet ophouden.

Ze wenste dat Sébastien er was en dat ze hem verrot kon schelden.

De verwijten die ze hem naar het hoofd wil slingeren laten haar niet los. Ze tiert luidkeels, alsof hij daar was. Het lucht haar op, maar meteen daarna flakkert de frustratie weer op en brandt de vuile wond nog heviger. Vaag beseft ze dat ze anders moet reageren. Alleen weet ze niet hoe, ze wordt gefolterd, gekweld door dat smerige verlangen alles opnieuw te doorstaan, zich te wentelen in de pijn. Zoals iemand die verslaafd is aan alcohol maar weet dat hij dan gewelddadig wordt, hij mag niet drinken, hij zou zelfs liever niet drinken. Maar als je een fles naast zijn bed laat staan, moet die eraan geloven. Gegarandeerd.

Haar eigen fles zit boordevol spijt, wroeging, verdriet omdat ze alleen is. Ze kan het niet helpen, zolang er nog iets overblijft, moet dat eraan geloven. Gegarandeerd.

Eigenlijk hoorde ze hier niet te zijn. Haar verdriet is als een wereld die brutaal ineenstort. Al die zekerheden die nooit mochten verdwijnen, wankelen ineens, keren zich tegen ons.

Ze had het recht niet hier te zijn. Ze heeft het zelf gezocht, ze heeft Sébastien niet op de hoogte gebracht. Het is dus toch haar schuld dat alles ontspoord is.

En toen hij haar als een hoer neukte, heeft ze gekreund en hij heeft dat gehoord.

Allebei hebben ze elkaar van alles naar het hoofd geslingerd, van alles wat geheim had moeten blijven.

Ze schminkt zich voor de spiegel. Ze denkt aan Nicolas, die haar in het begin raad gaf en meisjes liet zien in tijdschriften. Ze is blij dat hij komt, stelt ze tot haar verbazing vast. Ze wacht ongeduldig tot hij er is, dat hij zijn onzin vertelt.

Als ze aan het fameuze voorschot denkt, krijgt ze plots een inval, op het ogenblik is er geen ander redelijk alternatief: ze wil die plaat echt maken.

Waarom zou ze er in haar eentje met de poen vandoor gaan, ze heeft toch geen zin meer waar dan ook naartoe te trekken? Ze kan beter in de flat blijven en van de zomer aan het studiowerk beginnen. Samen zullen ze een degelijke plaat maken.

Het voordeel van de onschuld houdt in dat een mens heeft het recht zich te vergissen zonder dat iemand er onder hoeft te lijden. Bovendien krijgt hij zo meer tijd om er weer bovenop te komen.

Ze concentreert zich als ze haar lipstick aanbrengt – de bovenlip mooi aflijnen en niet over de kant komen. Maar de kleur is opzichtig, ze veegt hem meteen af. Ze draait al haar tubes open tot ze de juiste schakering vindt.

Hardop geeft ze voor zichzelf commentaar: 'Maar als we het echt doen, moeten we een paar dingetjes aanpassen...'

Ze heeft hem laten beslissen, voor haar ging het toch

maar om een grap. Zijn smaak is klote, en originele ideeën, forget it, ze slaan je er overal mee om de oren. Voor de titel en het doosje, voor bepaalde stukken van de liedjes.

Ze overloopt alles wat ze over zich heen liet gaan, toen ze nog van plan was...

Ze bekijkt zich in de spiegel, ze is klaar. Ze ziet er piekfijn uit, het heeft de hele middag in beslag genomen.

Nagels lakken, benen ontharen, het eelt op haar hielen gladschuren, haar haar wassen en drogen – ze wil per se dat het sluik hangt, oksels scheren, fond de teint aanbrengen, ogen opmaken, lichaam parfumeren... De hele trukendoos opentrekken, ze moet op haar tellen passen.

Uitkiezen wat haar het beste staat voor de tijd van het jaar, de mode, de gelegenheid.

Ze bekijkt zich, het kan ermee door.

Ze draait zich om en om, ze wil zich op de rug zien, in profiel, controleren of alles oké is. Ze constateert hardop: 'Het kan super meezitten, zo'n opname.'

Stom dat ze niet eerder op het idee gekomen is.

* * *

Hij belt stipt om acht uur aan. Hij loopt recht naar de ijskast om een sixpack koel te zetten.

'Je zegt zo weinig, vandaag.'

Hij probeert gevat uit de hoek te komen, maar het lukt niet zo best. Hij wil duidelijk liever dat iemand anders haar op de hoogte bracht. Pauline laat hem betijen tot hij zelf op de proppen komt met het nieuws dat hij op het hart heeft. Ze weet al dat het niets te maken heeft met: 'Wel, gemeen kreng, je wilde me laten stikken en met het

voorschot verdwijnen?' want hij ziet er niet echt ver-
stoord uit.

Hij gaat zitten en maakt zijn blikje open. Zij zet de tv
aan en begint te zappen. Ze komt in een zwartwitfilm
terecht, een bakker die zijn vrouw kwijt is. Het verhaal
loopt ten einde, ze keert terug. Een priester leest haar de
les, hij stuurt haar terug naar huis, bij haar man. Die erg
lief is voor haar. Pauline kijkt geboeid. Ze voelt geen
verdriet meer. Ze denkt terug aan de keren dat ze mensen
zag die huilden om een scheiding, of elkaar het leven zuur
maakten, 'ik kan me voorstellen hoe ze allebei...'.
Waarom doet het zoveel pijn, als haast iedereen eraan
moet geloven?

De bakker reageert zich af op de kat, zijn vrouw barst
in tranen uit. Ze heeft veel berouw. Pauline geeft
commentaar: 'Nou, die heeft geluk met zo'n man. Hij is
ontzettend aardig.'

Nicolas is niet echt overtuigd: 'Misschien was ze liever
in haar grot gebleven, met de knappe bink. Trouwens,
een vrouw geeft nooit iets om een vent die aardig is voor
haar. Of ze moet er eerst stevig van langs gekregen
hebben. Daarna mag hij weer een en al tederheid zijn.'

'Klets niet uit je nek, ik wil het eind van de film zien.'

'Is het de eerste keer dat je hem ziet?'

Het is haar angst om bedrogen te worden, in de gewone betekenis van het woord. Het vertrouwen tussen haar
en Sébastien is gebroken. Het vertrouwen dat ze had in
de dingen die ze over hem wist, dingen die nooit zouden
veranderen en waar ze van hield. Al het respect dat ze
voor hem had, of liever, voor het beeld dat ze van hem
had. Haar vertrouwen woog vast loodzwaar op hem. De
voorstelling die ze zich maakte, waaraan hij moest beant-
woorden – en pas op, verroer je niet of je verliest alles.
Daarom paste ze zich aan, liet ze hem begaan toen hij
haar voorloog. Als hij maar overeenstemde met het
waanbeeld dat zij hem opdrong.

Aftiteling, ze zapt. Nicolas brengt twee blikken bier mee. Ze kijken naar de trailer van een film, een kerel slaat alles kort en klein in een bureau. Hij schreeuwt: 'Ik heb de hele nacht op haar gewacht.' Een vriend probeert hem tot bedaren te brengen. Razend van woede zegt de man: 'Toen ik haar vroeg: "Bedrieg je me?", antwoordde ze: "Het heeft lang geduurd voor je het doorhad."'

Pauline orakelt: 'Er is een complot tegen mij aan de gang. Heb jij dat bekokstoofd?'

'Waarom, wat krijgen we nou, heb je soms de bons gekregen?'

Ze zapt opnieuw, zonder een antwoord te geven. Ze flatert hoe langer hoe meer, hoe komt ze erbij dat tegen hem te zeggen. Nooit, met geen woord over Sébastien reppen. Gelukkig gaat Nicolas zo op in het probleem waarmee hij voor de dag moet komen, dat hij geen vragen meer stelt.

Op het scherm wringt een zwarte met een stervormige bril en mountain boots zich in allerlei bochten tijdens zijn song. De camera's filmen twee danseressen op de rug, kikvorsperspectief en zoom op hun kont.

Pauline vraagt: 'Wel, wat scheelt er? Gewoonlijk kan ik er geen speld tussen krijgen als je begint te ratelen.'

'Ik ben niet zo in vorm.'

'Nou, je hoort me niet klagen hoor: eigenlijk heb ik liever dat je het wat rustiger aan doet...'

Ze dacht dat hij nu zou toehappen. Hij houdt van idiote gesprekken en gewoonlijk is hij rad van tong. Maar vanavond is hij minder ad rem. Ten slotte zegt hij: 'Je hebt meer gevoel voor humor, de laatste tijd... Ik heb dan toch voor iets gedeugd.'

Alsof hij een grapje vertelt, om zijn gezicht te redden. Toch ziet hij er aangeslagen uit. Pauline beslist dat ze het hem makkelijker wil maken: 'Hoezo, voor iets gedeugd?'

'Ik heb wat geknoeid.'

Het duurt nog een paar seconden voor hij het durft te zeggen, hij ziet er beteuterd uit. Waarschijnlijk weet hij dat het hem goed staat en heeft hij er al dikwijls gebruik van gemaakt. Ineens vliegt het eruit: 'Het is bullshit, we hebben geen label, geen platenfirma, niemand wilde tekenen dus er is ook geen voorschot. We hebben geen cent méér dan toen we elkaar zijn tegengekomen. Ik heb je beduveld, waarom weet ik zelf niet goed, ooit moest je het toch te weten komen...'

Dan zwijgt hij, kijkt aandachtig de flat rond, alsof hij er aan de slag moet, ramen, plafond, wasbak. Ondertussen dringt het tot Pauline door wat hij gezegd heeft.

Ze eist meer uitleg: 'Hoe lang hou je me al voor de gek?'

Om snel de schade te berekenen, een inventaris op te maken, misschien valt er nog een en ander te redden... Hij ziet er zielig uit, maar toch niet kapot van wroeging: nu het hoge woord eruit is, kan hij weer lachen. Hij vat samen: 'Net na het concert wilde iedereen met ons scheep gaan, het was big business en al... Maar het begon vrij snel fout te lopen. Op maandag waren er vijf die voor ons wilden tekenen. De maandag daarop hadden ze al minder tijd. Ik heb je gezegd dat je moest meekomen. Ik wil mezelf niet vrijpleiten, maar het is nogal wiedes: als je meegekomen was, waren ze vast niet omgeslagen. Toen ben ik begonnen je de dingen anders voor te stellen. Eerst een klein beetje – als iemand me zei "ik moet jullie op de scène aan het werk zien", maakte ik ervan "ik moet het met de verantwoordelijke over het budget hebben."'

'Je "klein beetje" maakt me bang voor wat er nog moet volgen.'

'Ik heb al een maand niemand meer aan de telefoon gehad.'

'Waarom heb je me vorige week dan gezegd dat ze getekend hadden en al?'

'Tja, dat moet mijn megalomane kant zijn. Het is leuk te vertellen hoe goed je alles bereddert. Zelfs al weet je dat het lulkoek is, het geeft een ongelooflijk goed gevoel... Ik bedoelde het niet verkeerd, ik geloofde rotsvast dat alles wel vanzelf in orde zou komen.'

'En de poen die je me gaf?'

'Van moeder geleend. Maak je maar geen zorgen: die kan best de eindjes aan mekaar knopen.'

'En waarom vertel je me nu de waarheid?'

'Die avond, je weet wel, toen je boos werd om de maandelijkse som, toen heb ik de knoop doorgehakt. Ineens stond ik weer met beide voeten op de grond. Ik kon je niet eeuwig aan het lijntje houden...'

'Bespaar me je waarheden, heus, ik heb liever dat je erop los liegt.'

'Nou, en ik dan. Als ik niet zeker wist dat het slecht zou aflopen, had ik nog tien jaar kunnen doorgaan voor ik het beu werd.'

Hij haalt nog twee biertjes. Hij is opnieuw een en al charme. Hij gaat door: 'Voor mij was het ook een gedroomde situatie, hoor. Jij zat hier vast, je was er altijd als ik langskwam. Ik loop even aan, speld je wat op de mouw, stel me een uur of twee drie aan. Ik geef je een paar tips over je kledij, je houding, de manier om je te schminken.'

Hij klinkt alsof hij weet dat hij vergiffenis zal krijgen: 'Neem je het me heel erg kwalijk?'

'Nee, je bent een belachelijke, valse zielenpoot. Maar eerlijk gezegd is het geen complete verrassing. En die fuif, vanavond, verwachten ze ons echt of maakt ook dat deel uit van de grote klucht?'

'Nee, ik heb uitnodigingen. We zijn nog niet helemaal ongewenst.'

'Alleen een beetje in ongenade gevallen, misschien?'

'We raakten supersnel uit de mode.'

Eerlijk gezegd had hij er snel genoeg van gehad zich om dat stomme contract te bekommeren. Hij had er zich een paar dagen serieus mee beziggehouden, in de mening dat hij het wel zou rooien. Maar het duurde niet lang of zijn ware aard kwam weer bovendrijven. Dus deed hij niets meer. Of liever, hij vergat een afspraak, kwam stoned op een andere meeting aan, bij een volgende gelegenheid schopte hij iemand tegen de schenen. In minder dan geen tijd was zijn reputatie naar de bliksem. Niet dat het hem verbaasde of dat hij het zich aantrok.

Ze loopt naar de ijskast en hurkt neer: 'Hebben we al het bier al soldaat gemaakt?'
'Als je wil loop ik even om een nieuwe lading.'
'Oké, ondertussen trek ik een andere jurk aan.'
'Deze is oké, hij staat je fantastisch.'
'Nee, hij is niet opvallend genoeg. Zo'n jurk draag je als het contract al getekend is.'

Ongerust loopt hij haar achterna, de kamer in: 'Wat trek je aan?'
'Een kosmonautenpak. Je zult zien, iedereen zal het vreselijk glamoureus vinden.'
Ze zoekt tussen de berg jurken. Verrast dat hij nog altijd op de drempel staat, kijkt ze op: 'Moet je er per se bij zijn als ik in mijn nakie sta?'
'Oké, ik ga al. Nou, je bent vrij onvoorspelbaar, maar dat wist ik allang. Ik bedoel dat als een complimentje.'

Ongelooflijk, hoe goed ze het opneemt. Hij slaat de deur achter zich dicht en denkt hoe stom al die vreselijke leugens eigenlijk zijn. En ineens flap je het er allemaal tegelijk uit, en niemand die ervan opkijkt. Terwijl andere, totaal onbenullige dingen grote catastrofes aanrichten.

Ze past aan de lopende band jurken en kijkt telkens in de spiegel. Haar selectie legt ze aan de kant. Ze heeft een paar trucjes door, ze kent het verschil tussen een opvallende en een flitsende japon.

'Dat nieuwtje heeft me helemaal opgekikkerd, te gek.'

Ze bedoelde het als grap, maar het is de waarheid: ze is alles kwijt, wat ze had en wie ze was. Nu ligt alles achter haar. En ze heeft een reuze honger naar wat komen moet. Nu haar nieuwe ik geboren is.

De telefoon rinkelt. De persoon aan de lijn hangt niet op maar laat ook geen bericht achter. Het antwoordapparaat slaat automatisch af als het lang genoeg geduurd heeft. Onmiddellijk daarna gaat de bel opnieuw over. Ze trekt de stekker uit.

In één klap is ze haar goede humeur en haar grote honger kwijt.

* * *

Taxi. Parijs ligt net achter hen en ze rijden al te midden van bomen en weilanden, tussen allerlei geuren van groen. Voor het eerst heeft Pauline heimwee naar haar geboortestreek. Plaatsen waar geen tienduizend auto's rondrijden en waar je eindeloze flarden van de hemel vrij duidelijk kunt zien. Haar stad waar de mensen naar hun stamkroeg gaan voor een aperitiefje, waar je iedereen tegenkomt zonder dat je eerst hoeft te bellen, afspraken te maken, te bevestigen. Waar geen gevoelens van rancune, achterdocht, rivaliteit heersen.

Ze zijn nog maar net op de 'garden-party' aanbeland of ze heeft er al spijt van dat ze zo'n jurk heeft aangetrokken. Alle ogen zijn stiekem of openlijk op haar gericht, en de blikken voorspellen weinig goeds.

Ze heeft het meteen door: het gaat vast om een enorme grap. In de struiken zitten camera's verstopt. Een bijeenkomst van karikaturen, droplullen en draken van elke leeftijd.

Om haar heen gaat het van: 'Ach, liefje, wat zie je er stralend uit!' en tjonge wat stellen we ons aan en wat trappen we een lol. Bij elke stap bots je er tegenop, lawaaierige mensen die het enig vinden elkaar te ontmoeten. Massa's oude knarren, de meesten zijn nogal over hun toeren. 'Heueueus? Ken je huppeldepup niet? Kom mee, jullie moeten beslist kennismaken.' Ze hebben geen sympathie voor elkaar. Ze zitten met zijn allen in hetzelfde schuitje, dus moeten ze wel met elkaar omgaan. Buiten hun drang om te profiteren hebben ze niets met elkaar gemeen: geen humor, geen godsdienst, geen overtuiging, geen afkomst. Niets dat hen bindt of ervoor zorgt dat ze graag samen zijn. Ze zijn gekomen omdat ze niet anders kunnen, ze voelen zich vijandig en slecht op hun gemak. Maar allen bewaken ze de schat: de eerste die mijn deel durft aan te raken, maak ik af.

Het is een onwaarschijnlijk chique receptie, met in het midden een meer en mooie roeibootjes. Allerlei buffetten, naar hartelust gratis drank. En veel jonge, hippe meiden die de boel een ondeugend tintje moeten geven.

Pauline en Nicolas hebben nog altijd geen drankje aan de bar kunnen bemachtigen, zoveel volk is er. Om je ziek te lachen hoe dat deftige volkje zich gedraagt, werkelijk gepeupel zoals ze op het buffet afstormen. Ze waarschuwt hem: 'Je vindt me vast lastig en ongelooflijk wispelturig, maar ik blijf hooguit tien minuten.'

'Zoals je wil. Ik vergezel je wel naar huis, oké?'

Het is altijd hetzelfde liedje: na het vierde glas voelt ze zich beter. Ze kan net zo goed nog even blijven, ze babbelt met de mensen die ze ziet, al met al zijn ze vrij cool. Hoewel, toch wat stijfjes. Alsof ze hun tong hebben ingeslikt, niets komt er spontaan uit.

De top van de elite van het businessleven, lui met een job en veel poen die een blits leven leiden. Je moet wél voldoende afstand houden om de illusie van glitter en glans te bewaren.

Een man komt erbij staan, hij vat Nicolas bij de kraag: 'En, dat ontwerp?'

'Geen nieuws.'

Maar de vent luistert niet naar het antwoord, hij begint over iets anders: 'En wie is de jongedame die je hebt meegebracht?'

Hij kijkt naar Pauline en verslindt haar met de ogen – een kenner. Nicolas verwacht dat ze hem laat oprotten, dat wordt lachen geblazen.

Maar een nieuwe Pauline komt op de proppen. Een die honderduit babbelt. Nicolas kent haar, tussen twee glimlachjes in ziet hij een boosaardig licht in haar ogen flitsen, ze heeft zin om die kerel ter plekke af te maken.

Zelfs als meneer zijn curriculum begint af te ratelen – onderliggende boodschap 'ik kan je krijgen, hoor' – blijft ze zich beschaafd en charmant gedragen. Hoewel ze niet begint te flemen, het ultieme wapen dat Claudine bij haar verleidingspogingen in de strijd gooide, bewijst Pauline dat ook zij weet hoe ze de man moet versieren. Ze gedraagt zich kil en afstandelijk, een houding die in contrast staat met haar outfit. En die haar als gegoten zit.

Na de kennismaking keert de vent Nicolas onopvallend en behendig de rug toe, hij zet hem buitenspel om zich alleen nog met de schone in te laten. Hij ratelt aan één stuk door: 'We wisten niet wie u was, Nicolas kwam altijd alleen naar het bureau…'

'Ik dacht dat u onze plaat zou uitbrengen, en dat we daarna in alle rust konden kennismaken…'

'Dat project is helemaal niet van de baan, hoor! Ik volg u op de voet. U hebt een uniek talent.'

Nicolas gaat een eind verderop staan, hopelijk doet die hufter niet het relaas van zijn laatste bezoek aan de platenfirma. Hij was behoorlijk stoned – excellente stuff – en toen men hem de big boss voorstelde, begon hij stomweg te grinniken. De baas reikte hem een mannelijke en potige hand, vuurde een 'weldra bent u een van de onzen' op hem af. Nicolas had een lachje voelen kriebelen en opeens was het hek van de dam. Hij verliet de lokalen dubbelgevouwen, hij had geen woord meer kunnen uitbrengen en was op de vlucht geslagen.

Hij hoort nog net hoe de lomperd de exotisch subtiele toer opgaat: 'Als je ogen hebt als jij, kun je beter zelf de verplaatsing maken…'

En hij vangt de glimlach op die Pauline als antwoord geeft.

Waarop hij de bedenking maakt: 'Nou jongens, als die spelletjes begint te spelen, zullen jullie straks je lol wel op kunnen…'

★ ★ ★

Vuurwerk. Het is al laat. Nicolas heeft geen besef van de tijd meer, maar te oordelen naar de hoeveelheid die hij op heeft, hangt hij hier beslist al een poosje rond.

Een brunette met de allures van een Italiaanse femme fatale heeft zich naast hem neergeplant. Hij pijnigt zich de hersens om te achterhalen vanwaar hij haar kent. Zonder resultaat. Ze zit naast hem te wiegen – typisch, ze doen het allemaal – zijn schouder botst om de haver-klap tegen de hare en zelfs met haar heup probeert ze hem aan te raken. Toch weet hij dat ze verschrikt achteruit zou deinzen als hij een vinger uitstak, 'daar dacht ik helemaal niet aan'. Het ontmoedigt hem telkens weer en het stemt hem bitter. Ze heeft zin in een wip, hij voelt het rechtstreeks in zijn buik. Maar hij weet niet wat ze nog meer wil, en dat maakt de dingen zo ingewikkeld.

Dus laat hij haar heen en weer draaien. Hij blijft beschikbaar, bijwijlen onbuigzaam en dan weer teder. Hij weet wat voor vlees hij in de kuip heeft. Uiteindelijk geven ze toe. Altijd. Als ze het spelletje 'pak me dan als je kan', dat steevast uitmondt in 'nee maar, wat bezielt je', beu zijn, gooien ze zich letterlijk in zijn armen.

Dan voert hij een staaltje toegepaste David Lynch op. Als hij moeiteloos zijn hand tussen hun dijen kan glijden, als ze stamelen 'ik wil dat je met me vrijt', excuseert hij zich en trekt hij zich terug, gewoon voor de lol 'een ander keertje, nu komt het me slecht uit'.

Alleen met gemakkelijke meiden gaat hij door. Alleen dat geilt hem op. Dat ze meteen naar bed willen gaan, gewoon omdat ze er zin in hebben. En zonder bijbedoelingen.

Hij heeft die manie al heel lang, hij is immers bij zijn moeder, een zeer knappe vrouw, en zijn twee zussen opgegroeid. Hij werd misselijk van hun domme en gemene praat, alsof hun kont volstond om de wereld naar hun pijpen te laten dansen.

De brunette heeft het over haar borstimplantaten die haar ex-vriend betaald heeft. Hij mag haar tieten zelfs aanraken, als hij maar kijkt.

Een vent die onverschillig blijft voor hun charme drijft hen tot het uiterste. Sommigen zouden zich uit frustratie over de grond rollen.

Op de achtergrond verschijnt Pauline in zijn gezichts-veld. De mensen staan op rijen, ze kijken naar de dingen die in de lucht uiteenspatten. Ze staat naast de big boss. Ze praten al een hele tijd.

Nicolas denkt 'goed zo, meid' want de man laat zich niet zomaar benaderen. Hij slaat haar vanuit de verte gade.

Ze heeft het lichaam van Claudine. Een pretpark voor elke man, een belofte van onvergetelijke seks. Maar ze is niet erg vertrouwd met een mannelijke omgeving en ze vergeet te koketteren, ze heeft geen benul hoe ze er op haar voordeligst uitziet. Een gebrek dat gaapt als een kloof, je krijgt zin om je er meteen in te verliezen. Een noodkreet voor frisse lucht.

Iemand komt de baas roepen, hij trekt discreet aan zijn mouw. De baas moet dringend ergens naartoe, de man fluistert hem een paar woorden in het oor. De boss knikt, oké, wendt zich dan tot Pauline en voor hij weggaat, krabbelt hij iets neer. Waarschijnlijk zijn rechtstreekse telefoonlijn. Daarna reikt hij haar het stukje papier aan en op haar beurt schrijft zij iets op, waarschijnlijk haar eigen nummer.

Onmiddellijk legt een andere vent beslag op haar.

Nicolas voelt zich opgelucht. Het weinige schuldgevoel waartoe hij in staat is, verdwijnt als hij haar zo bezig ziet. Het is geen ramp dat hij het bij de platenfirma's heeft verknald. En ook geen ramp dat hij niet graag urenlang aan zijn computer gekluisterd zit om nieuwe stukjes te componeren. Die meid heeft hem niet nodig. Met haar klasse verkrijgt ze toch wat ze wil.

Ze heeft meer aanleg dan Claudine om zich 'in die wereld' een weg te banen. Als ze boos is laat ze haar woede spontaan tot uiting komen, terwijl haar zus die razernij in bedwang hield en vanbinnen te keer liet gaan, liever dan haar tanden te laten zien.

Bovendien houdt Pauline het hoofd koel. Ze beschouwt al die weeë complimentjes als een noodzakelijk kwaad, als haar verdiende loon. Ze is niet in de wolken omdat men haar mag, ze verliest haar doel geen moment uit het oog. Ze heeft lak aan andermans mening, daarvoor is haar misprijzen te grondig.

Hij slaat haar van opzij gade, hoe ze luistert naar de dingen die men haar zegt en hoe ze heftig antwoord geeft – waarschijnlijk gaat ze niet akkoord. De mensen in haar buurt kijken verrast op, nou wordt ze pas echt boos. Daarna barst iedereen in lachen uit, ze spelen onder één hoedje met haar. Ze hebben haar aanvaard.

De hufter die haar een poosje geleden meevoerde, stevent op Nicolas af. Hij heeft het door dat hij naar Pauline stond te kijken: 'Shit, wat een talent...'

Nicolas geeft geen antwoord. De andere gaat dromerig door: 'Jammer toch dat het zo'n oen is.'

Dan wendt hij zich tot de brunette. Nicolas maakt van de gelegenheid gebruik om een ommetje te maken.

Wat later op de avond. Hij kent de lui bij wie ze zich aangesloten heeft, ze lijkt perfect op haar gemak. De hele avond heeft ze Claudines kennissen zand in de ogen gestrooid. Toen ze elkaar aan het buffet zagen en Nicolas haar vroeg 'kun je het redden?', zei ze 'hoe vettiger, hoe prettiger'. Haar misprijzen beschermt haar voor alles.

Ze verlaat het feest in hun gezelschap. Nicolas ziet hoe ze weggaat. Ze denkt er geeneens aan hem met haar ogen te zoeken. Het kwetst hem een beetje, maar hij weet dat de wraak zoet zal zijn. 'Als je het me gevraagd had, zou ik je gezegd hebben waar je naartoe ging.'

★ ★ ★

Nacht. Auto. Ze is stomdronken. Parijs is ongelooflijk mooi, vindt ze. Ze voelt zich zelfs lichtjes ontroerd.

Ze zouden haar naar huis terugbrengen, maar ze willen nog een laatste glas drinken en ze staan erop dat ze meekomt.

Het meisje naast haar in de auto kletst erop los: 'Er is een bepaald soort seksualiteit die je alleen onder invloed van alcohol kunt beleven. Drinken is ook dat: openstaan voor de dingen die voor ons eigen verlangen verborgen moesten blijven. Het is trouwens praktisch, als je dat bij jezelf ontkent. Maar als je drinkt dwing je jezelf ertoe dat aspect te aanvaarden, het brengt licht in de duisternis.'

Het is een spetter met prachtig rood haar, blijkbaar kende ze Claudine goed en was ze dol op haar. Soms legt ze haar hand op die van Pauline, of op haar dij. En ze kijkt haar smachtend aan, en ze glimlacht samenzweerderig. Ze praat heftig gesticulerend met de knul aan het stuur.

Pauline geeuwt, niest dan luidruchtig in haar vingers. 's Avonds, op de party, gaven ze de hele tijd een CD door met lijntjes coke erop. Ze weet niet goed waarom, maar voor het eerst heeft ze er zich aan gewaagd. Het heeft geen enkel effect op haar, buiten dat niezen.

Roodhaar blijft haar theorieën verkondigen: 'Zelf was ik nooit te weten gekomen dat ik het graag op zijn hondjes doe, als ik niet gedronken had. Seks met alcohol is helemaal anders dan nuchtere seks, je aanvaardt jezelf beter. Je oerinstincten, eigenlijk.'

Zij was het die had aangedrongen dat Pauline meekwam: 'We gaan niet zonder Claudine!' En Pauline is meegegaan, ze had genoeg van het andere feest. Nu heeft ze hoofdpijn.

Plotseling richt ze zich tot haar: 'Of niet soms? Claudine, je zegt niets, wat vind jij ervan?'

'Ik vind dat je veel praats hebt. Anders…'

De twee anderen schieten in de lach, Pauline houdt

haar mond, ze houdt zich op de vlakte. Het meisje heeft nog andere statements in petto: 'De eerste keer dat ik klaarkwam, was ik stomdronken. Niet toevallig: als de drank is in de vrouw, komt het orgasme gauw.'

En maar lachen. Pauline grinnikt mee, om niet te erg uit de toon te vallen. Als ze schuine praat vertellen, doen ze zo nadrukkelijk achteloos dat elke opmerking vulgair klinkt. Eigenlijk wil ze liever dat ze haar naar huis brengen. Misschien ligt de bar in de buurt en kan ze te voet terugkeren.

★ ★ ★

In feite is het geen bar, het heeft meer van een nachtclub.

Zodra ze ter bestemming gekomen zijn, stelt haar nieuwe metgezel – ze weet niet wie hij is, maar hij kent haar naam aangezien hij Claudine kent en wel iets in haar lijkt te zien – voor om samen naar de toiletten te lopen voor 'een extra lijntje'.

Eindelijk begint ze er enig effect van te ondervinden. Kleine details, die een enorm verschil maken.

Als ze weer gaan zitten, zijn de overige twee verdwenen. Pauline vraagt: 'Waar zijn ze naartoe?'

Hij knijpt zijn ogen tot spleetjes, zo ziet hij er ongelooflijk bij de pinken uit: 'Die zitten vast ergens te breien.'

Dan barst hij in lachen uit. Ze voelt dat ze mee moet doen en grinnikt.

Ze blijven zwijgend op hun plaats zitten. De keet is vrijwel leeg en de muziek is klote. Wellicht zijn er verschillende danspistes, want de mensen lopen voortdurend af en aan. Vreemd toch, lui die alle moeite van de wereld doen om bij de 'top van de hiphop' te horen en dan in dit soort tent aanbelanden. Je waant je in Boerenkoolstronkeradeel, ergens in de jaren tachtig... Waarschijnlijk ontsnapt de diepere betekenis haar. De vent komt overeind: 'Ik maak een ommetje. Kom je mee?'

'Oké.'

Eigenlijk heeft ze geen zin van haar plaats weg te gaan, maar links van hen is een vent komen zitten, met zijn vrouw nota bene, en hij zit haar de hele tijd te begluren. Ze is niet van plan lijdzaam te zitten wachten tot hij tot de aanval overgaat.

Ze lopen door een smal gangetje, waarschijnlijk richting danspistes. Hij houdt halt op de overloop, kijkt, loopt door en gebaart dat ze moet meekomen: 'Daar is niets te beleven.'

Ze volgt hem op de voet. Hij blijft opnieuw staan, iets langer. Ze komt dichterbij, ze wil weten wat er te zien is.

Toen ze zich de allereerste keer gemasturbeerd heeft, kende ze het woord en zijn betekenis al, maar duurde het een paar dagen voor ze het verband had gelegd: tussen wat ze deed en het woord.

Nu overkomt haar hetzelfde. Ze kent het woord: seks-orgie, en ze had er een bepaalde voorstelling van. Maar het duurt ettelijke minuten voor het tot haar doordringt waar ze zich bevindt en wat er zich afspeelt.

Toen ze naast hem stond en begon toe te kijken, dacht ze onwillekeurig: knarrentehuis. Zieke lijven, steunen en kreunen, de misère van een nakende dood, witte, mis-maakte lichamen op zoek naar ontlading. Stille jammer-klachten stijgen aan alle kanten op.

Het duurt even voor het tot haar doordringt dat ze aan het neuken zijn. Dat het om seks gaat. Als je het eenmaal doorhebt, kun je er niet meer omheen. Alleen op het eerste gezicht is het bizar.

Voyeurs die een aarzelende hand uitsteken, vrouwen die achterover liggen en zich zonder veel overtuiging overgeven. Alleen grijs, overal, geen verlichting, geen muziek. De mensen bewegen langzaam, ze banen zich een weg tussen de lijven.

De plaats lijkt op een slagveld, met lichamen die het nog altijd niet opgeven, die hunkeren naar water, maar waar niemand meer is die hulp kan bieden.

Eerst had haar oog niets gezien. Maar stilaan zet het de dingen op een rijtje en dringen de details door. Niet dat men neukt dat de stukken eraf vliegen. Maar het heeft met geslachtsorganen te maken. Seksuele omgang. Open en bloot.

Een meisje op de rand van een bed. Ze draagt een bustier waar haar borsten even uitwippen. Ze pijpt een vent en kijkt hem in de ogen. Hij heeft zijn hemd nog aan, zijn pantalon hangt op zijn platte, harige dijen. Een onappetijtelijke vijftiger, wit en papperig vlees, dikke buik, ziekelijk, met de magere billen van een bejaarde. Hij buigt zich voorover. Krijgt 'm nauwelijks overeind maar lijkt best tevreden. Zijn pik is dun en krom.

Drie mannen staan erop te kijken. Passief. Geen woord. Ze dragen hun pak nog, alleen hun lul hangt eruit, die ze zachtjes kneden. Een van hen raakt de borsten van het meisje aan. Ze begint hem meteen af te rukken, draait haar hoofd om hem op zijn beurt af te zuigen, terwijl ze de eerste blijft strelen.

Naast hen laat een andere kerel zich door een fantastische griet pijpen, haar rug vormt een volmaakte driehoek, ze zit op haar knieën tussen zijn benen en zwengelt hem vakkundig aan. Hij krijgt helemaal geen stijve. Een echtpaar staat erop te kijken. De vent begint behoorlijk in paniek te slaan. De getrouwde man heeft een stijve, maar durft niet dichterbij te komen. Hij tast naar de hand van zijn vrouw, die moet de klus maar klaren. Ze draagt een beige mantelpak, alsof ze naar een communiefeest moet. Ze schudt haar hoofd, lijkt niet honderd procent gelukkig dat ze daar is. En geen spoor van opwinding. Hij dringt aan, vriendelijk, kordaat. Hij wil dat ze actief deelneemt. Als hij zijn vrouw zo ver krijgt, staat het hem vrij andermans vrouw te bevingeren, denkt hij wellicht.

Pauline observeert hem. Ze heeft zo'n neefje, een joch van negen. Een echte klier, hij wil altijd superstomme spelletjes spelen. Maar hij geeft het nooit op, hij wil dat je met hem speelt en kan uren aan één stuk zaniken. Een klerejong met een kop om op te meppen, sommige mannen raken dat nooit kwijt.

De geknielde schone heeft heel lang haar, het reikt tot haar dijen. De fellatie in al haar gratie, ze legt het er wat te dik bovenop. De vent krijgt hem nog altijd niet overeind, maar aait haar over het hoofd, de haren, de borsten. Benen wijdopen, hij blijft maar bezig.

Trage ritmes, overal verstikte kreten, onheilspellende jammerklachten. Een week en halsstarrig heiligschennis, een uiterst ingehouden fiesta. Onderaards.

Een vent staat naast haar aan de ingang, hij gaapt haar al vijf minuten onafgebroken aan. Een andere vent komt erbij staan, hetzelfde liedje, alleen staart hij nog indringender. Op slag neemt hij een besluit, komt dichterbij en legt een hand op haar borst, een vreemd gebaar, gedecideerd en toch behoedzaam: hoe zal ze reageren? De angst om lik op stuk te krijgen, zelfs hier. Ze duwt hem weg, draait zich om en wil naar buiten. De tweede man trekt aan haar hand, hij kijkt haar smekend aan. Hij doet denken aan een landloper die echt zit te schooien, maar die je nooit een cent zult geven, omdat hij zo hard wil wat hij wil.

Pauline fluistert in zijn oor: 'Laat me los of ik maak je

af.' Op een bloedserieuze, erg overtuigend toon. Hij brengt een vinger naar zijn slaap, scheldt haar uit voor krankzinnig en gaat weg.

Een piepkleine, duistere kamer, links voor de trap. Ze herkent de roodharige griet, ze staat overeind en laat zich beffen door een gebochelde ouwe vent die op zijn knieën tussen haar dijen zit.

Als Pauline aan de uitgang komt, gebaart de oude geblondeerde dame die hen van harte welkom heette dat het haar spijt maar: 'U kunt niet alleen naar buiten.'

'Mag ik niet doen wat ik wil?'

Totaal van streek. Misschien wurgt ze die oude tante wel, ze is ertoe in staat als de dingen anders lopen dan ze wil. De alcohol is uitgewerkt maar ze begint het effect van de coke pas goed te voelen. Ze begint te gillen, met gesticulerende, dreigende handen: 'Geef me m'n jas, nu, en m'n handtas, ik wil weg, je hebt het recht niet me tegen te houden.'

De vrouw vraagt wie er bij haar was, ze verdraagt niet dat men zo'n toon aanslaat in haar kantoortje. Pauline weet de naam van haar metgezel niet eens, ze kent de knul niet die haar zo goed schijnt te kennen.

Eindelijk komt hij op de herrie af, hij excuseert zich bij iedereen, deelt ongelooflijke fooien uit en trekt haar bij de arm mee.

Op straat. Hij heeft zich niet boos gemaakt. Blijkbaar vindt hij het lollig dat ze zo door het lint ging, voor een keer dat er iets onverwachts gebeurt. Hij stelt voor haar naar huis terug te brengen. Voor hij de kar start, snuiven ze elk nog een lijntje: 'Ik wist niet dat de coke je zo deed flippen.'

'Niks coke. Als ik weg wil, houdt niemand me tegen. Het is toch geen gevang, wat bezielt dat wijf?'

'Nou, je kent het daar toch. Waarom zei je niet dat je het zat was... Was je het beu?'

'Kotsbeu.'

Hij lacht, schakelt. Wat een aansteller, zoals hij rijdt: 'Meestal ben je niet te houden als we uitgaan...'

Hij zet de muziek aan, de klank is oké, de wereld ziet er op slag anders uit.

De stad is immens en reuze deftig, overal lichtjes en mensen die er wat onwerkelijk uitzien, wind door het raampje, koelte.

Achteroverliggen in haar stoel, leven op een enorm doek, alles uitvergroot.

Claudine vergezelde hen naar die keet, en ze liet zich niet onbetuigd. In die gore atmosfeer, zij, zo blond en zo dynamisch.

En ze ging met Sébastien naar bed. Hij pakte haar waar hij maar kon, naaide haar in al haar openingen, in alle standjes.

Daarnet op de party had een man haar in een hoekje gedreven. Hij was begonnen over dingen die ze samen deden, hoe hij haar kontneukte en met een lamp sodemieterde.

Ze is net drie maanden dood. Ze voelt geen woede meer, integendeel, er is dat nieuwe gevoel van herkenning. Claudine is nog nooit zo dichtbij geweest.

Pauline kan er niet bij waarom ze al die mannen hun gang liet gaan. Hoe treurig, hoe intriest als je jezelf daar niet tegen kunt beschermen. Om niets over te houden, nota bene, dan een massa slechte herinneringen die je als de verdommenis met je meezeult.

De vent zet haar voor de deur af. Het is een vreemd gezicht, zo'n verlaten straat. Het begint net licht te worden. Ze stapt uit en hij geeft haar een klontje dat hij in zijn zak gevonden heeft, zegt dan gewoon tot kijk. Zo te zien had hij een groot zwak voor zusjelief.

★ ★ ★

Boven is de deur ingebeukt, opengebroken, ze staat op een kier. Pauline is bang, ze durft niet naar binnen te gaan. Wat als er iemand op Claudine zit te wachten die haar God weet wat wil aandoen?

Ze staat roerloos voor de ingang. Het gezicht van de losgerukte grendel jaagt haar angst aan, een paar seconden beeldt ze zich in dat zij die deur is. Belaagd, open, makkelijk te breken.

Dan begrijpt ze het ineens. Haar hart slaat over bij het idee: zou het kunnen…?

Ze gaat naar binnen. Sébastien ligt met zijn kleren aan languit op de sofa te slapen. De tv staat nog aan. Ze gaat tegen zijn buik zitten, legt haar hand op zijn arm, wacht tot hij wakker wordt.

Als hij een oog opentrekt, vraagt ze: 'Kom je mee naar bed?'

Zoals ze het hem al duizend keer gevraagd heeft, op dezelfde toon. En hij loopt haar achterna zoals hij wel al duizend keer heeft gedaan – groggy wrijft hij in zijn nek. Alsof ze elkaar gisteren nog hadden gezien.

Ze liggen tegen elkaar in bed, ze probeert helemaal in hem te verdwijnen, het is een oude gewoonte. Ze nestelt zich meteen in zijn armen, alles is nog zo vertrouwd, hij bestaat uit niets dan diepe slaap. Ze ziet alleen maar hem, close-up van zijn schouder en nek, ze gaat op in zijn adem, zijn geur en zijn huid, ze is helemaal in hem. Hij zegt: 'Vannacht kon ik het niet meer uithouden. Ik moest je zien.'

Zijn grote eerlijke lijf wil alleen maar dat ze het goed heeft, eindelijk is er weer dat vertrouwde gevoel van intimiteit: 'Ik heb je zo vreselijk gemist.'

Dan: 'Morgen moeten we de deur repareren.'

Ze gebaart dat ze in slaap valt. Zijn hand streelt over haar rug, brengt haar tot rust. Als hij in haar is, smeekt ze hem: 'Laat me alsjeblieft nooit meer alleen, laat me nooit meer herbeginnen: laat me nooit meer gaan, ik wil niet weten hoe het er in de wereld aan toegaat.' Ze denkt aan de sprookjes uit haar kindertijd en haar heldinnen die de wolf volgden omdat hij er zo betrouwbaar uitzag. Ze voelt zich alsof ze zelf uit het bos kwam en aan iets vreselijks ontsnapt was. Iets wat ze niet kan duiden maar heel goed aanvoelt, afschuwelijke dingen die haar in het gezicht uitlachen. 'Help me om daar weg te blijven.'

Ze vertrouwt hem, hij zal haar tegenhouden en de hele tijd op haar passen, zoals hij vroeger deed.

Die ochtend – de coke waarschijnlijk – denkt ze opnieuw aan haar zus. Claudine had niemand die bij haar sliep, niemand om mee wakker te worden, niemand die haar vroeg vol te houden. Er was niemand bij haar om ervoor te zorgen dat het ergste haar bespaard bleef.

★ ★ ★

'Het is warm, het wordt hoe langer hoe warmer...'

Alle ramen staan wagenwijd open, het lijkt wel of het straatlawaai binnen in het huis is. Alsof ze op een terras wonen.

Met haar neus in het kussen ligt Pauline op haar buik, ze houdt een been gestrekt en het andere opgetrokken. Haar korte blauwsatijnen hemdje reikt net tot de vouw van haar dijen.

Een schoen, een opgerold T-shirt, een open boek, een wikkel van een ijsje slingeren naast het bed op de grond.

Sébastien telt de sigaretten, werpt een blik op de klok en rekent uit of ze de ochtend kunnen halen zonder om een nieuw pakje te gaan. Hij zucht: 'Ga jij naar de tabakswinkel, oké? Een frisse neus zal je goed doen.'

Geen antwoord. Hij dringt aan: 'Ik moet altijd de boodschappen doen.'

Ze lacht, nestelt zich nog wat dieper in bed: 'Nou, net goed!'

Ze komt overeind, pakt het dienblad met het spul en rolt een joint. Ze maakt een lijstje: 'Je moet ook brood kopen. Wat eten we vanavond?'

Ze denkt even na, krabt aan een muggenbeet: 'Een paar tomaten misschien, en wat ham.'

De hele week is het zo gegaan, beurtelings vreedzaam en stormachtig, nietsdoen, alleen een douche nemen, van het bed opstaan om op de sofa voor de tv te gaan liggen en ijskoude cola te drinken. Sébastien in ontbloot bovenlichaam aan het raam, hij kan maar niet genoeg krijgen van het spektakel op straat.

En zij is het nooit beu met haar hand over zijn rug te strelen, over het hele landschap van zijn mannenlijf, naar de schouders toe – ze kan haar geluk niet op. Een ader loopt van zijn pols tot zijn hals, urenlang kan ze er met haar vingers langs strijken, haar wang tegen zijn romp aangevleid.

Het verbaast haar nog altijd: zoveel warmte. Hoewel ze de hele tijd op hem wachtte en elke avond aan hem dacht, hem zo hard miste dat ze wel huilen kon, was ze toch vergeten hoe ongelooflijk goed het haar deed.

Ze hebben het er nooit meer over gehad. Alleen zoent hij haar dikwijls aan een ooghoek, of net achter haar oor, heel zachtjes, ontzettend behoedzaam. Hij wil zeker weten dat ze niets nodig heeft en herhaalt wel honderd keer per dag: 'Als ik je opnieuw kwijtraakte, werd ik gek.'

Over de nor praat hij evenmin. Als ze ernaar vraagt, zegt hij 'verleden tijd, ik denk er niet meer aan'. Zij probeert te achterhalen of hij er veranderd is, ze vindt niets. Hij is dezelfde, helemaal dezelfde als vroeger.

Zij doet haar verhaal van a tot z, hij vraagt haar uit over Nicolas, ''k Heb niet veel vertrouwen in de vrienden van je zus', met een blik van verstandhouding. Ze schiet in de lach, daarover heeft ze nog een eitje met hem te pellen. Hij heeft niet graag dat ze hem daarop pakt, hij wil dat ze doorgaat, 'en daarna, wat heb je toen gedaan?'

Ze vertelt, over de hakken, de schminksessies. Dat van de mannen op straat slaat ze over. Ze vertelt, Nicolas alweer, wat hij haar op de mouw spelde. En de nachtmerrie, die avond, op de garden-party bij de mafkezen. Dat van de nachtclub slaat ze over.

Hij slaat zijn armen om haar heen, alsof hij een kind troost: 'Het is voorbij, denk er niet meer aan.'

En dan is hij een hele avond droevig, wanneer hij verneemt dat Claudine dood is. Maar ze wisselen er geen woord over. Ze laat hem met rust, ze hangt de was op, bestudeert het tv-programma.

Ze gunt hem de tijd om alles te verwerken. Nu ze hem eindelijk voor zich alleen heeft.

Ze vrijen als vroeger, hij ligt op haar en omhelst haar, zacht, heel omzichtig.

Ze heeft het over de reis die ze wilde maken, waar ze zo hard naar heeft uitgekeken. Ze laat foto's zien van de plaatsen die ze samen zouden bezoeken. Liefdevol weert hij haar af, 'hou op, liefje, met jezelf zo te kwellen'.

★ ★ ★

Ze kijken televisie, mannen die een striptease uitvoeren. Sébastien vindt het een bedroevende vertoning: 'Hoe bespottelijk!'

Als ze in hun string staan te wiegen en te wiebelen, schiet hij in de lach: 'Kijk es aan! Nee maar...'

Plots vraagt hij: 'Meiden die hetzelfde doen, zijn die niet even belachelijk?'

Alsof het evident is. Pauline haalt haar schouders op: 'Welk verschil zou het maken?'

Ze wijst met haar vinger naar het scherm, op het eind van het nummer staan de venten in hun blote kont. Ze wrijft in haar ogen: 'Het is een kwestie van gewoonte. Over vijf jaar choqueert het niemand meer, kijken we alleen nog naar hun gespierde borsten...'

De telefoon rinkelt, Nicolas op het antwoordapparaat. Ze staat op en neemt de hoorn af. Sébastien stelt vast: 'Die kwast belt bijna elke dag.'

En vervolgens: 'Snapt ie nou niet dat ik terug ben? Waarom blijft hij nog altijd om je heen draaien?'

Ze vat het als een grap op. Nicolas zegt dat hij in de buurt is, ze nodigt hem uit voor een biertje. Haakt dan in. Sébastien stelt het maar matig op prijs: 'Kon je niet ergens in een kroeg afspreken? Ik wil niemand zien.'

Ze geeft geen antwoord. Hij dringt aan: 'Kun je niet terugbellen om het af te zeggen?'

'Hij belde uit een telefooncel.'

'Wat een loser! Heeft ie geeneens een gsm?'

'In feite is hij helemaal een loser. Zo erg, dat het wel opzettelijk moet zijn. Ik weet zeker dat je hem cool vindt.'

Zodra Nicolas het salon binnenkomt, is ze haar woorden vergeten.

Ze vond het altijd normaal, hoe hij tussen die vier muren zijn gang ging. Ineens wordt het storend en heel vreemd. Zijn doeningen die haar vroeger nooit opvielen, lijken onhandig en misplaatst nu Sébastien hem in de gaten houdt.

Zijn stilzwijgende afkeuring stuurt alles in het honderd.

Ten slotte begint Pauline zich af te vragen wat ze elkaar al die tijd gezegd hebben, toen ze elkaar dagelijks zagen.

Hij kan er niet snel genoeg vandoor gaan.

Ze is hem haast dankbaar dat hij het doorheeft en dat hij niet blijft hangen.

Dankbaar ook dat hij bij zijn vertrek doet alsof er geen vuiltje aan de lucht was, dat hij geen vragen probeert te stellen. Haar laat gebaren dat er niets aan de hand is.

Zodra de deur dichtvalt, barst Sébastien los: 'Zelden zo'n weergaloos slappe nicht gezien.'

'Het is geen pose bij hem. Trouwens, daarom is hij nog geen slappeling.'

'Zo'n stuk onbenul! Wie neemt zo'n aansteller nou serieus! Heb je hem al eens goed bekeken? Een uitgeteerde oen, hij lijkt je grootje wel.'

Ze wacht tot hij uitgeraasd is. Schiet dan in de lach. Zijn brutale uitval heeft haar kleingekregen. Het is zijn wreedheid die haar aantrekt, daarom wil ze graag zijn vrouw zijn.

Later – het is volle maan – kijkt Pauline hoe hij ligt te slapen.

Het laat een vieze smaak na, Nicolas' bezoekje en haar totale machteloosheid om hun vriendschap te verdedigen, gewoon omdat Sébastien er was en zij bang is hem te ergeren.

Ze ziet haar moeder weer voor zich, toen hun vader Claudine sloeg. Moeder smeekte hem op te houden, ze huilde zelfs. Maar ze liet begaan. Niemand waagde het aan zijn macht te ontkomen, je moest haar ondergaan. De woede van hun vader was nauw met zijn aanwezigheid verbonden. Het ene bestond niet zonder het andere. De man zonder zijn geweld.

Hoewel Pauline niet bont en blauw geslagen werd, weet ze het nog glashelder. Ineengedoken op de grond, in een hoekje gedrumd, een onooglijk tenger lijfje met de armen boven haar hoofd gekruist. En hij, de losgebarsten onweerslucht, met zijn donderende en rommelende stem, de misnoegde God. Het waren niet de slagen die het meeste pijn deden, maar de wroeging, omdat je zo vreselijk tekortschoot. De duistere razernij van de volwassen man waar je totaal niet tegen opgewassen was.

Soms waagde hun moeder het zijn opgeheven vuist tegen te houden, durfde ze hem beletten dat hij te hard sloeg. En als hun vader eindelijk wegging, boog ze zich naar het kind voorover, 'je mag papa niet zo op stang jagen' want de woede van de man is legitiem, je moet ervoor zorgen dat je die niet uitlokt.

Sébastien ligt naast haar in een diepe slaap. Soms legt hij zijn hand op haar. Het geeft haar een veilig maar tegelijk beklemmend gevoel.

Natuurlijk, het is ook omdat ze bang is voor hem, dat ze zich zo sterk aan hem gebonden voelt. En haar angst bewijst dat hij een echte man is.

* * *

Hij heeft boodschappen gedaan en bergt alles in de ijskast op. De telefoon rinkelt, hij reageert geïrriteerd en schreeuwt 'alweer!', terwijl hij de deur van de ijskast dichtgooit.

Ze neemt de hoorn af, zo bespaart ze hem de drie signalen voor het bericht wordt afgespeeld.

Ze heeft Big boss aan de lijn, – 'fluwelen stem', het komt hem goed uit. Hij heeft haar bandje aandachtig beluisterd. Hij vindt het interessant, heus, uitzonderlijk zelfs, kan hij haar voor een etentje uitnodigen, van de week, op een avond, want hij gaat met vakantie?

Ze maakt een afspraak en haakt in.

Sébastien vraagt: 'Wie was het?' Ze antwoordt: 'Een vriend van Claudine', en gaat naast hem zitten. Ze weet niet of ze naar de afspraak gaat. Maar ze weet vooral niet welke smoes ze moet verzinnen als ze toch zou gaan.

Vroeger loog ze nooit tegen hem. Nou ja, vroeger deed ze nooit iets.

★ ★ ★

Onwaarschijnlijk restaurant, dezelfde chic als de garden-party. Alles baadt in weelde, prachtige verlichting, een overvloed aan vaatwerk, kelners die de glazen bijvullen voor ze leeg zijn. Zodat Pauline snel boven haar theewater is.

Big boss zet zijn beste beentje voor, hij slooft zich uit voor haar. Te pas en te onpas schermt hij met 'jullie, artiesten', niet zozeer om haar te vleien, als wel om zijn eigen ego te strelen: zich met artiesten omringen en de mecenas uithangen.

Hij verslindt haar met de ogen en strooit met complimentjes.

Ze heeft Sébastien iets op de mouw gespeld, een nieuwe boezemvriendin in Parijs, die haar absoluut wil zien.

Ze verveelt zich te pletter. Net als toen ze klein was en niet mocht gaan spelen zolang ze met de grote mensen aan tafel zat.

Hij is razend enthousiast, dronken van vreugde haast: 'U hebt een opmerkelijke stem. Hebt u les gevolgd?'

'Aan het conservatorium.'

'Zie je wel... u hebt talent. En talent waaraan gewerkt wordt, dat hoor je meteen... Ik was woedend op Martin die u niet had opgemerkt, ik heb er een hartig woordje van gezegd... Nou ja, ik koester geen illusies, alleen wat ik zelf doe is goed gedaan.'

Hij heft zijn glas. Met ware doodsverachting beantwoordt ze zijn blik en klinkt. Dan schenkt ze hem een stralende glimlach. Ze voelt niets voor die vent met zijn mooie praatjes, zijn stinkende zelfvoldaanheid en zijn muffe elegantie. Ze kijkt om zich heen, iedereen in de tent is o zo beschaafd, op de achtergrond klinkt jazzmuziek. Ze kijkt naar de vrouwen, dragen ze een korset onder hun kleren en gaan ze na het eten ouwe knarren pijpen in een sekskeet? Alle mannen zien er oud uit en wat slecht op hun gemak, alsof ze te weinig lucht hebben.

Big boss wil de plaat dus maken. Ze begrijpt niet waarom ze daar blijft zitten met een stomme glimlach op haar gezicht, in plaats van haar glas leeg te drinken, haar jas te halen en op te krassen.

Toch is het eenvoudig. Ze wil een grote reis maken. Een paar kruimels oprapen en echt met vakantie gaan.

Hij gedraagt zich vaderlijk, heel autoritair: 'Je hebt een liedjesschrijver nodig.'

'Ik schrijf mijn teksten graag zelf.'

Hij grinnikt geamuseerd: 'Dat weet ik. Maar er zijn mensen die niets anders doen... Ik stel je iemand voor.'

Ze geeft niet toe: 'Ik vind mijn liedjes goed zoals ze zijn.'

'Je geeft je niet graag gewonnen, hé?'

Alsof hij het een reuze mop vindt. Ach ja, dat gaat wel over, hij vindt het vertederend maar zegt toch: 'Dat kon best in de eighties, je weet wel, ik maak een vuist, fuck the system en leve de anarchie... Maar zo werkt het tegenwoordig niet meer.'

No comment, ze eet haar bord leeg. Een vieze sla, geeneens vers, met veel poeha opgediend.

Hij heeft voor alles een verklaring, hij duldt geen tegenspraak. Ze ziet hem zo voor zich, als hij 's morgens voor het raam van zijn palace in Neuilly gaat staan, handen in de heupen, neus in de lucht, en maar orakelen 'zo zit dat, en dat vind ik er nou van'.

Hij heeft nog iets op het hart en begint er voorzichtig over: 'Er is een groot probleem met de klank. Wie heeft de muziek gecomponeerd?'

'Nicolas, een vriend. Hij heeft het materiaal geleend, het liep niet zo vlot.'

'Ik ben bang dat het niet alleen aan het materiaal ligt. Die Nicolas, is dat je vriendje?'

'Nee, mijn enige kameraad.'

Hij is zichtbaar opgelucht. Waarschijnlijk was dat het enige minpunt: als ze met die kerel naar bed gaat, kunnen we hem moeilijk wandelen sturen. Maar als ze alleen bevriend zijn, wordt het een makkie... Voor hem is een kameraad een begrip uit de lagere school, als je samen voetbalt. Daarna begin je aan de ernstige dingen: de anderen, alle rivalen die je moet uitschakelen.

Als de kelners de borden verwisselen, praat hij voort, hij ziet hen niet eens staan. Hij doet er geen moeite voor, het is gewoon zo: er lopen mensen om hem heen, die hem bedienen.

Hij vraagt – hij heeft zich al veel moeite voor haar getroost, ze krijgt een harde noot te kraken: 'En ben je erg aan die Nicolas gehecht?'

'Heel erg. Ik heb het van a tot z aan hem te danken, als ik vandaag tegenover u zit.'

Hij zucht, er zijn nou eenmaal van die dingen die je moet weten: 'Misschien is het dankzij hem dat je hier bent. Maar het is beslist niet met hem dat je veel verder komt.'

'Zijn muziek is goed.'

Ze meent er geen woord van. Ze weet heel goed dat zijn deuntjes waardeloos, warrig, mank en allesbehalve melodieus zijn. Hoe dan ook, Big boss heeft er toch geen oren naar, het dringt duidelijk niet tot hem door. Hij hangt nu wel de bijdetijdse melomaan uit, maar in de eerste plaats is hij een gehaaide maffioso. Hij wil alleen zijn eigen mensen aan het werk zetten, het moet in de familie blijven, de rest interesseert hem niet. Ze moet net als de anderen naar zijn pijpen dansen, hij zal haar uit zijn hand laten eten.

Hij buigt zich naar haar toe en probeert overtuigend te klinken: 'Je hebt alles om een grote ster te worden. En ik ben tot alles bereid om je daarbij te helpen. Maar één ding moet je begrijpen: de weg naar de top is eenzaam, je legt die niet in groep af. En wie achterblijft... nou, dat is dan maar zo.'

Ze zoekt naar woorden: 'Ik heb hem nodig, om een boel redenen. Ik heb hem nodig voor die plaat.'

Big boss schudt zijn hoofd, jammer toch dat hij haar moet leren hoe hard het leven soms is.

'Je hebt niemand nodig. Je gevoel is één zaak. En business is iets helemaal anders. Je mag niet bang zijn om met de besten samen te werken, en ik introduceer je bij hen.'

Ze knikt, ze slikt het. Nou ja, het is pas een eerste ontmoeting, later zet ze het hem betaald en doet ze geen enkele toegeving meer.

Ze is zijn gemeenplaatsen spuugzat. Ze moet zich bedwingen om niet te vragen: en jij, hoe zit het eigenlijk met jouw leven, dikdoener?

Einde van de maaltijd, Big boss – schunnige blik, vrijgevochten kerel – stelt de hamvraag: 'En ga je vaak uit?'

Ze schudt het hoofd. Summum van samenzweerderigheid: 'Ik weet van een paar vrienden... Heel goede kennissen, heel keurig, ze wilden niet roddelen of... Nou ja, ik heb begrepen dat je naar...'

Hij zoekt naar woorden. Ze duwt haar sigaret uit, ze schiet hem niet te hulp. Hij vindt de uitdrukking: '... partnerruilclubs gaat.'

Ze knikt. Hij legt uit dat hij daar ook wel voor te vinden is... Als hij wilde zeggen 'weet je, soms ga ik bommen leggen', zou hij het vast op dezelfde toon doen.

Dat was het dus, vanaf het begin. Hij roept de kelner, haalt een kredietkaart uit zijn portefeuille, aarzelt, stopt haar weg en haalt een andere tevoorschijn. Ze vraagt of ze nog een whisky mag, hij reageert afwijzend maar bestelt er toch een. Waarschijnlijk vraagt hij haar straks naar zo'n seksclub mee – alleen een kijkje nemen.

Ze denkt aan de witte kusten op een van haar reisfolders. Ze wil zo snel mogelijk haar kont neervlijen in dat zand.

HERFST

Pauline komt uit de metro. Alles is kil en grijs in het witte licht. Vlak naast metro, de bloemenwinkel met zijn uitstalraam vol kleuren – totaal misplaatst. Een skater haalt haar in, softe grungelook, 'n tikkeltje te keurig. Ze kruist een vrouw die er te gek uitziet, panterachtige bewegingen, hoge laarzen, slanke benen en een witte leren jas. Ze lijkt zo uit een ander tijdperk weggelopen. Als ze op haar hoogte komt, glimlacht ze even naar Pauline.

Lichte hoofdpijn, ze drinkt te veel de laatste tijd, het gaat pas na de eerste slok wijn over.

Terwijl ze wacht om over te steken, voelt ze hoe de kou langs haar mouwen omhoog kruipt.

Voortaan is ze het gewoon dat men haar aanstaart als ze voorbijloopt. Ze let er niet meer op, straks is ze verbaasd als men haar niet opmerkt.

Fotosessie. Een geïmproviseerde studio achterin een sombere binnenplaats. De fotograaf is verkouden, hij is niet in vorm. Toen ze zich aan hem voorstelde, keurde hij haar met een echte kennersblik. Amper tien seconden en hij wist hoe hij haar zou 'aanpakken', hij heeft zijn instructies aan de schminkster en de kleedster gegeven. Geen moment wendt hij zich tot Pauline: 'Wat vind je ervan?' Hij regelt alles. Hij heeft een vakje gevonden waarin ze thuishoort en moet alleen nog alles uitgommen wat niet past.

Ze zit een hele poos op een ongemakkelijke stoel, een jong meisje smeert een laag vloeibare make-up op haar gezicht. Ook zij doet alsof Pauline lucht is, ze praat met haar collega.

Zonder dat ze erom gevraagd heeft, verneemt Pauline dat ze veel te slecht betaald worden, dat de zaak goed begint te lopen, en dat de gozer coke snuift – als hij zonder zit is hij niet te harden – en dat huppeldepup een paar dagen geleden een oubollige collectie heeft geshowd.

Dan neemt de kleedster haar onder handen. Pauline deelt haar mee dat ze die schoenen niet aantrekt, ze zijn ongelooflijk lelijk en veel te klein. De andere slaat haar ogen ten hemel.

Dan staat ze tegenover hem. In het begin is hij vrij onaardig: 'Ik heb gehoord dat je met de lens overweg kunt... In vergelijking met jou zou Marilyn een lompe koe zijn. Verdomme, doe es een inspanning!'

Ze houdt het geen seconde langer uit in dat stomme licht, het ligt op haar tong dat hij haar reet kan likken.

Maar ze worden gestoord.

Bezoek voor de fotograaf. Hij verdwijnt een tiental minuten. Als hij terugkomt, is hij een ander mens, hij wrijft in zijn handen, zet muziek op. Hij zegt 'laat es zien of je kunt dansen', en dansen kan ze, dat weet ze.

Hij komt op dreef, draait om haar heen: 'Je ogen, hier, kijk me aan.'

Hij geeft orders, zij voert ze uit, hij moedigt haar onafgebroken aan, 'oké, goed zo, ga je gang'.

En dan is het afgelopen. Hij schudt haar verstrooid de hand. Ze staat weer op straat. Het ligt haar zwaar op de maag. Wat een vernedering, ze kan wel kotsen. Hoe kwam ze erbij precies te doen wat hij wilde? Waarom ze niet is weggegaan? Tijdens de opnames voelde ze dat ze haar intimiteit prijsgaf, en het bezorgde haar een smerig, onthutsend gevoel van opwinding dat ze in dat spel kon opgaan.

Gebaren die ze nooit eerder had gemaakt waren vanzelf gekomen. Ze heeft zich ertoe verlaagd de poses van een wulpse vrouw na te bootsen. Ze hoefde hem maar te horen hijgen 'ga je gang, ja, goed zo', en te voelen hoe hij om haar heen draaide en ze gedroeg zich als een volleerde teef. Blijkbaar is het haar tweede natuur.

Vroeger deed het haar walgen als ze een meisje zag dat 'te weinig zelfrespect' had. Toen waren de dingen nog eenvoudig: iedereen beslist zelf wat hij doet. Ze wist nog niet hoe makkelijk het is je te laten meeslepen.

Ze leefde zo afgezonderd dat ze nooit een valse leidsman ontmoette, dat ze geen mooipraters tegenkwam.

Nu ze een stap in de wereld heeft gezet, voelt ze hoe alles haar ontglipt.

Ze denkt heel vaak aan Claudine terug. Haar afkeer evolueert mettertijd.

Toen ze op de middelbare school zaten, is haar zus plotseling in een meisje veranderd. De gedaanteverwisseling gebeurde even snel als radicaal en werd op algemeen applaus onthaald.

Tot dat ogenblik had Claudine niets dan vernederingen gekend, ze was altijd totaal oninteressant geweest, en ineens werd ze 'een knap jong meisje'. Meer was er niet nodig: voortaan aanvaardde men haar. En zij had weldra begrepen dat er ook niet meer nodig was opdat iedereen weg zou zijn van haar.

Ze was het gewoon geweest ineengedoken op een stoel te zitten en zich zo veel mogelijk onzichtbaar te maken. Maar ineens had ze de geniale truc ontdekt: gedraag je als een schattig meisje en je kunt je weer oprichten.

Ze had het zich geen twee keer laten zeggen, en ze had zich volledig gegeven.

Pauline was getuige geweest van de metamorfose en de toejuichingen die ermee gepaard gingen. Ze kon haar ogen niet geloven. Stomverbaasd was ze. In het begin hoopte ze nog dat al die mensen gauw tot hun positieven zouden komen en weer normaal zouden reageren. Maar de omgeving was unaniem en onverzettelijk – aanmoedigingen alom.

Uit reactie gedroeg Pauline zich alsof ze de enige overlevende getuige van hun kindertijd was. Ze liet geen kans voorbijgaan om haar zus eraan te herinneren wie ze was, wat ze nooit mocht vergeten. Traag, lomp, onhandig. Idioot. Om te huilen. Een trieste domme gans.

Claudine kaatste de bal terug. Ook zij liet geen kans liggen om Pauline met haar neus op de feiten te drukken: ze was onaantrekkelijk, nors, lelijk en saai en geeneens aardig.

★ ★ ★

Ze kent de weg naar het label vanbuiten. Ze moet om de haverklap op de platenfirma zijn: om dit te bekijken, dat in orde te brengen, dinges te ontmoeten en van alles te ondertekenen.

De telefoniste is altijd aardig. Net als iedereen in de firma denkt ze dat Pauline achterlijk is. Niemand probeert dan ook met haar te praten, ze weten het allang: een beeld van een meisje met de hersenen van een garnaal.

In het begin stoorde het haar dat iedereen zijn blik

omhoogsloeg zodra ze iets wilde zeggen, dat ze hun lach nauwelijks inhielden als ze het waagde een opmerking te maken. Het volstond dat ze haar mond opendeed, en iedereen lag al op de loer voor de stommiteit die beslist zou volgen. Zelfs 'koffie, graag' kan ze niet zeggen zonder dat ze haar uitlachen.

Hoewel, zulke bollebozen zijn het hier nou ook weer niet.

Ze zit in Martins bureau. Elke keer als ze komt telefoneert hij. Hij zegt drie woorden, de telefoon rinkelt en hop, daar gaat ie, voor een kwartier. Weer drie woorden, opnieuw gerinkel en hij is alweer voor een kwartier aan de gang.

Hij verbergt niet dat hij het haar kwalijk neemt. Hij doet zijn werk naar behoren omdat de baas een oogje in het zeil houdt. Maar hij verdraagt het niet als ze hem iemand opdringen. En dat moet hij haar betaald zetten.

Vandaag neemt hij haar zwijgend op, nadenkend, en fronst dan zijn wenkbrauwen: 'Je moet je neus laten bijwerken.'

'Zo dadelijk.'

'Serieus, Chloé heeft er ons attent op gemaakt. Ik neem wel inlichtingen.'

'Hou me op de hoogte, het interesseert me.'

Ze praten over haar wanneer ze er niet bij is. En als ze komt, regent het raadgevingen 'je moet' of 'je mag vooral niet vergeten'.

Al hun fantastische, ongelooflijk originele ideeën. Ze lacht er zich kapot om.

Hij is hatelijker dan gewoonlijk want gisteren is Big boss uitgevaren. Ze heeft ja gezegd voor de tekstschrijver, ja voor de geluidsman, ja voor de kleedster. Zij hebben wat zij wil: veel geld, en ze wacht op een geschikte dag om haar deel van de poen op te strijken.

Ze wilde Nicolas niet laten vervangen. Ze dacht dat het zou lukken als ze op maar één punt onverzettelijk bleef. Maar ze weigeren samen te werken met iemand die nog niet bekend is. Zij weten immers waar het talent te vinden is, het staat in hun notitieboekje en elders ga je het toch niet zoeken. Het is een soort reflex: ze werken alleen met insiders, anders wordt er geen fortuin meer gemaakt.

Toen heeft de boss haar bij zich geroepen, hij was heel wat minder aardig dan anders: 'Hoor es hier, Claudine: als die CD er niet komt, zal ik erg ontgoocheld zijn, maar voor mij betekent dat heus niet het einde van de wereld.'

Ze zat in zijn bureau, verongelijkt verwachtte de boss dat ze de juiste beslissing nam. Ze willen alleen wat goed is voor haar, waarom gedraagt ze zich zo klote?

Ze heeft gezegd dat hij gelijk had. Toen ze thuiskwam, heeft ze Nicolas gebeld. Vanavond wil ze hem zien.

Ze wacht tot Martin klaar is met zijn uitleg, hoe het er in de studio aan toegaat. Hij zou het in vier à vijf zinnen kunnen zeggen, hij heeft acht à negen paragrafen nodig. Beknoptheid staat niet in zijn woordenboek.

Voor ze weggaat, gebaart Martin dat het niet gedaan is: 'De boss wil je zien.'

Met een misprijzende glimlach, hij weet wel waarom.

Dat hij die neerbuigende smile maar in zijn reet stopt. Als ze voor hem zit, hoeft ze maar haar been te bewegen en hij raakt de draad al kwijt.

Ze doorkruist het gebouw, de grote kamer in het midden waar heel wat mensen aan de slag zijn. Sommigen richten hun hoofd op – nadrukkelijk. Zodra ze de rug gekeerd heeft, beginnen de praatjes.

Iedereen weet waarom de boss haar zo dikwijls laat roepen, ze heeft kunnen tekenen omdat hij haar neukt.

Ze klopt aan voor ze naar binnen gaat, maar Martin heeft al gebeld dat ze op komst was. Als hij zich tot de boss richt, bejegent hij haar met respect.

★ ★ ★

Soms zoekt ze een excuus. Maar ze moet zich regelmatig op het bureau van de baas laten zien. Hij doet dezelfde dingen met haar als Sébastien met Claudine deed. Je zou haast denken dat ze elkaar kennen, of samen school gelopen hebben. En tijdens de climax gebruiken ze dezelfde gebaren en dezelfde woorden, hebben ze haast hetzelfde gezicht.

Het vertrek is heel ruim, prachtige meubels, een kleine bar. Een immens en stevig bureau. Plaats zat om er languit op te liggen, met hem boven op haar.

'Is er nog nieuws?'

Altijd hetzelfde scenario. Een kort gesprek – hij volgt de plaat van nabij, strooit kwistig met goede raad, geeft bevelen, noteert dingen die hij niet mag vergeten te doen voor haar. Die hij trouwens nooit vergeet. Hij zorgt heel goed voor zijn nieuwe zangeresje. Hij schenkt haar een drankje uit, trekt zich al haar muizenissen aan. Het maakt immers deel uit van zijn theater haar als een prinses te behandelen.

Dat is zijn idee over de vrouwen, je moet galant met ze omgaan. Omdat ze zuiver zijn, mooi, verheven. Hij is van de oude stempel, toen vrouwen nog verre, vreemde wezens waren, van alles afgesneden behalve van zijn plezier.

Daarom omringt hij haar met attenties. Anders zou het minder pikant zijn als hij haar in al haar openingen pakt en voor hete teef uitscheldt. Hij moet haar eerst vereren, om haar daarna te kunnen ontwijden.

Korte stilte. En dan begint het: 'Het is warm, zet je blouse wat open.'

Hij kijkt toe. Hij heeft graag dat het langzaam gaat, knoop na knoop. Dan moet ze haar borsten strelen – dat kan wel vijf minuten in beslag nemen. Het spektakel slaat hem met verstomming.

'Ga wat achteroverliggen, streel je boezem, ja... Doe nu je bh uit, laat me je prachtige tieten bewonderen.'

Dan begint het, een reeks eigenaardige geluidjes. Het is geen lach, het is ook geen gekreun, hij maakt dat vreemde gerucht als hij opgewonden raakt.

Ze doet wat hij zegt. Het brengt haar altijd van de wijs dat hij in die staat is, gewoon omdat ze haar lichaam laat zien.

Is het omdat ze dat voor hem doet, is het de schaamteloosheid of iets anders? Hoe dan ook, het is niet niets.

'Spreid je benen open, trek je slipje uit, zachtjes, oké... Begin je maar te beroeren, vinger dat kutje van je nou.'

Nu moet ze een beetje kreunen. Het idee dat ze opgewonden raakt stijgt hem rechtstreeks naar het hoofd. Alsof hij een mirakel bijwoont, iets dat hem buiten zichzelf brengt: een vrouw die klaarkomt, in zijn aanwezigheid, straffeloos. Hij zit meteen in hogere regionen.

Als hij zijn miezerige minipiemel – ondanks zijn leeftijd krijgt hij hem toch nog overeind – tevoorschijn haalt, schaamt ze zich voor hem. Dat schamele roodachtige ding, wat een vertoon. Het lijkt wel een sabel zoals hij ermee van leer trekt.

'Hier, kom op je knieën zitten, onder het bureau, neem me in je mond.'

Vreemd dat zulke mannen nooit complexen hebben. Nou ja, nog niet. Hij ziet er totaal afgetakeld uit, hij is niet om aan te kijken, maar het komt niet bij hem op zich te schamen, hij denkt alleen aan zijn immense lustgevoelens. Het moet makkelijk zijn als je zo bent, iedereen vindt je een klootzak, maar zelf ben je best tevreden. Alleen maar denken aan wat je te zien krijgt, en je voor de rest geen vragen stellen.

Daarna doen ze het op z'n hondjes, ze slaakt gilletjes – dat hoort hij immers graag, hij beukt erop los: 'Ik laat je klaarkomen.'

Ondertussen krijgt ze bilkoek, als het achter de rug is, zien haar dijen vuurrood.

Hij twijfelt er geen moment aan dat ze het lekker vindt. Of toch, één keer heeft hij haar gevraagd 'doe je niet alsof als je bij me bent?' 'Waarom zou ik?', heeft ze toen geantwoord, en dat volstond. Ruimschoots. Hij is verzot op zijn lul, hij staat er stom van dat hij er een heeft, en dat hij hard wordt. Hij gelooft graag dat zijn pik oké is, dat hij haar binnenstebuiten keert. Hij dacht het immers al.

Als ze het met hem wil doen, dan moet ze er wel dol op zijn. Wellicht gelooft hij dat een hoer geboren wordt met op haar voorhoofd een merkteken dat haar van andere vrouwen onderscheidt. Hij beeldt zich vast in dat haar kut potdicht zou zitten als ze er niet mee instemde, en dat haar billen dichtgemetseld zouden zijn. Hij beeldt zich heel wat in – wat houdt hij van de vrouw, dat schitterende wezen dat zo helemaal anders is...

Hij heeft eens laten vallen dat hij wist van een paar mensen die iets vermoedden, die dachten dat ze het uit eigenbelang deed. Hij glimlachte toen tevreden, hij en niemand anders kende haar geheimen: 'Ze weten niet wat voor iemand je bent.'

Een ongelooflijk compliment. Hij vindt haar vrijgevochten, geëmancipeerd, waarlijk een vrouw waar hij van houdt.

Als hij eens wist wat ze van zijn eindje worst vindt, wat

het haar echt doet, dan zou hij denken dat ze een probleem heeft. Het ligt voor de hand dat van hen beiden
alleen zij met een probleem kan zitten.

Vrouwen zijn nooit zo geschift als mannen dat soms
kunnen zijn – het voortdurend met iedereen te willen
doen, in alle standjes. Vrouwen hebben een holte, bij hen
werkt het altijd, en daar zitten ze dan, met hun zwellen-
de buik waar een kind in groeit. Ze hoeven zich niet de
hele tijd af te vragen of ze hun ding overeind krijgen, ze
hoeven niet in extase te zijn als het stijf staat.

Als hij voelt dat hij klaarkomt, slaat hij in paniek. Hij trekt
zich snel terug en vraagt haar zich om te draaien.
Ondertussen rukt hij zich af, om dan op haar borsten te
spuiten.
    Alweer om zich ervan te overtuigen dat ze iets afschei-
den. Verwaarloosbaar, wat wit snot. Wat een vreugde bij
het zien van hun kwakje.

Achteraf kleden ze zich aan en blijven nog even praten.
Hij loopt over van welwillend respect, hij luistert belang-
stellend naar haar, ze hoeft zich nergens zorgen om te
maken.
    Voor ze weggaat, vraagt hij altijd: 'Je weet zeker dat je
niets meer nodig hebt?'

* * *

Elke dag opnieuw zegt Sébastien dat hij het beu is in de
flat. Ze wil dat hij geduld oefent. Ze stelt hem voor met
vakantie te gaan, maar dan blaast hij 'waar wil je dat ik
heen ga, zonder geld?'
    Het stinkt op straat, vindt hij. Ongezonde lucht. De
mensen zijn onaardig. Alles is hartstikke duur, hij wordt

misselijk als hij een koffie bestelt, de volgende dag spreekt hij er nog over: 'Vijftien ballen! In een goor, smerig café. Een blik op de plee en ik ben thuis komen pissen.' De hele buurt is verziekt, 'shit, de narigheid komt zo op je af. Ik heb zelf al genoeg aan mijn hoofd, de anderen kunnen oprotten'.

Als ze thuiskomt, hangt hij steevast voor de tv.

Het is altijd hetzelfde liedje, alleen is er één detail veranderd: nou blijft hij thuis en regelt zij haar eigen zaakjes.

Ze zoekt dingen die hem afleiding kunnen brengen. Niet evident als je slecht bij kas bent. 'We kunnen naar het museum, op sommige dagen heb je gratis toegang.'

'Juist, ja. Kan ik meteen ook breilessen nemen, wat een lol.'

Wanneer ze thuiskomt, bedelft hij haar onder de verwijten: hoe moet het met mijn bestaansminimum? Idem voor de werklozensteun – de lui van de arbeidsdienst zijn ervan overtuigd dat we samenwonen. Alsof het haar schuld was: 'Ze zouden komen controleren.'

'Dan zeggen we dat je op de sofa slaapt, dat kan toch.'

'Maak dat je grootje wijs, zo achterlijk zijn ze ook weer niet.'

En als ze zegt: 'Weet je, die plaat komt uit. Je zult zien, het wordt een succes en dan smeren we 'm. Wil je zien waar we naartoe gaan?'

Ze heeft alle reisfolders apart gehouden, gewoon om ze aan hem te kunnen tonen, maar hij wil er niets van horen. 'O ja, jij bent zangeres en ik loodgieter, nou goed? Ik word kotsmisselijk van je gezeik.'

Hij bladert in een paar tijdschriften en duwt ze onder haar neus, zwaaiend met de foto van een meisje met eindeloze benen: 'Is het dat soms wat je wil? Je kont aan Jan en alleman laten zien? Hé? Ben je daarop uit?'

Als hij in zo'n stemming is, begint ze te lachen en pakt een pornoblad. Claudine had er stapels liggen. Ze laat hem een foto zien – een ejaculatie in een gezicht of een fellatio – en zegt 'denk je dat ze me hiervoor ooit vragen, of is dat te hoog gegrepen?', op het zeurderige toontje van een kutwijf. Eerst kan hij er niet om lachen, maar ze gaat door tot hij toegeeft. Tot hij opgaat in het spel, tot rust komt, en zijn humeur beter wordt.

Ze heeft het vrijwel nooit over haar plaat. Alleen het strikte minimum, zodat hij op de hoogte blijft. Ze voelt dat die opname hem nog het meest van al dwarszit: 'Je bent veel te oud om zangeres te worden.'

'Toe nou, schat, ik ben vijfentwintig... Helemaal niet oud, toch?'

Hijzelf is amper twee jaar ouder en vindt dat hij al rijp is voor de schroothoop. Dat jaar in de nor heeft hem veranderd. Kleine details die ze in het begin niet opmerkte, maar die ze nu pijnlijk scherp aanvoelt. Alsof de muren op hem afkomen en dreigen hem te verstikken. Hij is totaal aan zijn razende wanhoop overgeleverd.

Ze vindt het jammer voor hem. Ze is ervan overtuigd dat hij ongelijk heeft, dat de zon ook voor hen zal schijnen, sneller zelfs dan ze denken. Als ze die verre reis maken zal hij stilaan weer als vroeger worden. Opgewekter, en vol energie en levenslust.

Behalve zij en Big boss gelooft niemand in die plaat. Het wordt een kaskraker. Ze durft het niet hardop te zeggen. Maar ze weet het, intuïtief. Het zal alles veranderen, gedaan maken met alles wat ze kennen. Sébastien denkt bij voorbaat dat alles verloren is en dat ze hun hele leven in de schulden zullen zitten. Wel, ze zal hem es wat laten zien.

Dat wordt lachen, en hoe!

Dat weet ze, en de hele tijd probeert ze hem moed in te pompen, in de hoop dat hij het uithoudt tot de andere oever.

Gelukkig kun je voor de tv gaan zitten, dan hoef je niet meer te praten.

Ze heeft boodschappen gedaan. Hij ontkurkt de tweede fles, ze is lichtjes boven haar theewater en laat zich gaan: 'Ze zeuren me voortdurend aan m'n kop, weet je, en de woorden, en m'n kleren, en de muziek...'

Ze praat zelden over haar plaat, ze heeft de indruk dat het onderwerp hem kregelig maakt. Misschien moeten ze het allebei neutraler bekijken, als een soort experiment. Vanavond stort ze haar hart uit: 'Ik ben bang van ze, je houdt het niet voor mogelijk. Niet dat ze zo gemeen zijn, het heeft meer met cultuur te maken, denk ik, met ervaring. Van kindsbeen hebben zij nooit iets anders gezien, ze kunnen zich niet indenken dat er andere dingen...'

En omdat hij niet reageert, en zij tipsy begint te worden, rollen de woorden er makkelijker uit... Ze probeert nog duidelijker te zijn. Ze heeft nog altijd dat droombeeld, een naïef kinderprentje haast waarop hij haar bijstaat en begrijpt. Ze gaat ronduit bitter door: 'Het voelt vreemd aan, als iedereen je voor een domme gans verslijt. Alleen omdat mijn borsten te groot, mijn lippen te dik, mijn ogen te rond en mijn haren te blond zijn. Je hebt geen idee hoe waardeloos ze me vinden.'

Nooit eerder heeft ze er iets over gezegd. Hij draait zijn hoofd niet in haar richting maar kijkt haar streng uit een ooghoek aan: 'Wat klaag je nou? Dat wilde je toch, of niet soms?'

Hoe triest. Dat hij zo'n toon tegen haar aanslaat. Dat hij zijn hoofd niet op haar buik neervlijt, om te zeggen dat het achterlijke idioten zijn en dat het haar koude kleren niet mag raken. Dat zij fantastisch is en dat hij om haar geeft.

★ ★ ★

Place d'Italie. Nicolas zit op haar te wachten. Zijn biertje is al een poosje leeg. Hij is blut, hij hoopt dat ze eraan komt, aarzelt om nog een glas te bestellen.

Sinds ze met haar plompe boyfriend samenwoont, maakt Pauline haar afspraakjes buitenshuis. Een grote kinkel, het type dat op de speelplaats brillen stukmaakte en meestal succes heeft bij de meiden. Als ze bij hem is, verandert ze in een schim, verdwijnt ze helemaal op de achtergrond. Als ze zich zo laat intomen, vindt hij haar haast onuitstaanbaar.

Pas toen hij hen samen zag, besefte Nicolas dat hij met haar naar bed wilde.

En voortaan krijgt hij altijd een stijve als hij haar ziet. Hij moet zelfs oppassen welke broek hij aantrekt, hij moet om de haverklap naar de plee, om wat stoom af te laten.

Als hij haar ziet denkt hij niet langer aan Claudine – hij is de angst om haar te kwetsen en hun woordeloze pact vergeten.

Witte mantelpakje, blonde wrong. Ze doet het niet met opzet, maar ze ziet eruit als de volmaakte luxehoer. Ze loopt met vaste tred, even makkelijk als op sportschoenen. Sinds haar boyfriend terug is, gedraagt ze zich erg terughoudend. Hoewel dat na een paar glazen meestal overgaat.

Ze praat honderduit over de plaat. Maakt zich druk over alles, de kleinste aanleiding volstaat om haar pisnijdig te maken. Wat ook de reden mag wezen, hij vindt haar onweerstaanbaar als ze woedend is. Het bezorgt hem een knots van een paal. Terwijl ze tekeergaat en vloekt als een ketellapper stelt hij zich voor hoe ze stamelend, weerspannig onder hem ligt, hoe ze zich aan zijn rug vastklampt.

Terwijl hij luistert, krijgt hij een erectie. Vanavond gaat ze woester dan ooit tekeer. Een roetzwarte ziel met in het midden een gloedrode kern. Haar handen als een vuist onder haar kin gekruist – het lijkt wel of ze bidt, ze houdt haar ogen neergeslagen terwijl ze haar litanie afratelt: 'Ik begrijp niet waarom er geen woord bestaat voor misogyn of fallocraat, maar dan in de omgekeerde richting. Shit, ik haat de mannen, ik kan met geen woorden zeggen hoe erg ik ze haat!'

Dat het zo nabij is, is voor hem de lont in het kruitvat. Ze wil het even hard als hij, hij hoeft maar dichterbij te komen en dan beseft ze het vast. Hij gaat haar te pletter neuken. Tussen haar dijen gebeurt het, ze moet hem zijn gang laten gaan en het zal hen allebei ontzettend deugd doen. Ze zal haar bekken tegen het zijne drukken en heel hard haar benen om zijn middel klemmen.

Hij kijkt naar het begin van haar dijen, die ze gekruist houdt. En hoe ze rood uitslaat van woede als een vent in het voorbijgaan een blik op haar werpt. Ze vindt het nog altijd vreselijk dat ze te kijk zit. Hij krijgt zin om haar vast te binden, en een paar smerige dingen met haar uit te halen, waar hij bij een andere griet nooit aan zou denken, te bespottelijk. Hij hoeft geen antwoord te geven, ze is niet meer te houden: 'Je zou verwachten dat hun manie van tuut-tuut autootje vanzelf overgaat, als ze zes, zeven jaar worden. Maar nee hoor, hij mag dan al vijftig zijn, een vent blijft nog altijd een groot kind.'

Het is haast een obsessie, haar praat waarbij de mannen gedoemd zijn om allen een en dezelfde vreselijke straf te ondergaan. Het wordt nog erger als ze zo begint, hij verlangt in haar binnen te dringen om te zien of hij haar kan laten kreunen, kronkelen. Hij kent massa's schunnige opmerkingen die hij in haar oor zou willen fluisteren. Vooral bij haar, omdat hij zeker weet dat zo'n praat haar altijd ijskoud liet.

Ze is ontzet over de omvang van de ramp: 'Je hebt geen idee, het mannelijke geslacht is een lagere diersoort. Het zijn zelfs de meiden niet, die hen zo stapelgek maken, maar het idee dat ze een stijve zullen krijgen. Ze kunnen er maar niet genoeg van krijgen, shit – wel, ze gaan ons niet nog eens tienduizend jaar te grazen nemen... Het is hun zorg, ze moeten zelf maar zien hoe ze het rooien...'

Een uur gaat ze zo tekeer, opgelucht drinkt ze haar glas uit en glimlacht verontschuldigend: 'Je krijgt de kans niet iets te zeggen. Alles kits, jij?'

'Ik heb zin om met je te neuken. Dat de stukken ervan afvliegen.'

Het moest eruit.

Ze reageert verbijsterd. Probeert het met een grapje af te doen: 'Ik merk dat je aandachtig geluisterd hebt.'

'Dat heeft er niets mee te maken. Ik wil met je vrijen.'

Ze kijkt hem giftig aan en begint over iets anders. Hij gunt haar uitstel tot het eind van de maaltijd, doet op zijn beurt alsof er niets aan de hand is.

Terwijl ze de rekening betaalt, begint hij opnieuw: 'Je bent niet weggelopen, dus je weet dat we het gaan doen.'

Ernstig ineens staart ze naar haar handen: 'Ik wenste dat ik het niet wist.'

★ ★ ★

Hij heeft haar in een steegje meegenomen.

Ze hebben op de grond gevrijd, ze beeldden zich in dat ze op het strand over het zand rolden. Iedereen kon hen verrassen, maar geen mens heeft hen gestoord. Ze hebben al hun tijd genomen, ervoor en erna en daartussenin.

Toen hij haar wilde beffen duwde ze hem eerst weg, alsof het een smerige liefkozing was. Daarna liet ze begaan. Ze voelde hoe zijn mond haar kut beter kende dan zijzelf, hoe hij ervan hield en al haar gevoelige plekjes prikkelde met zijn zachte en precieze tong.

Hij drong in haar binnen, zonder zijn handen te gebruiken, alleen met zijn bekken, en beukte tot hij de bodem voelde.

Hij heeft een bloem in haar buik geplant, met een trillend hart en blaadjes die naar alle kanten groeien. Lang, zacht en vloeibaar. Hij heeft een zee in haar binnengebracht en laat haar wassen op het ritme van zijn komen en gaan.

Hij had het over haar geile kontje, hoe heet ze is vanbinnen, hij zei dat hij haar de volle laag gaf en dat ze het lekker leek te vinden.

Het verbaasde haar dat ze klaarkwam, hoe lang het duurde, de hele climax en daarna de sneeuwwitte explosie.

Verbaasd maar nog meer verwonderd dat ze het nooit eerder had geprobeerd, dat het pas vanavond gelukt was.

Daarna liepen ze op het trottoir. Een eindje van elkaar, niet goed wetend welke houding ze moesten aannemen. Ze keek op de lichtkrant hoe laat het was. Belandde met een schok in de werkelijkheid terug, ze moest naar Sébastien toe en ze had hem alweer bedrogen.

Het afscheid aan het taxistation, Nicolas die met zijn lichaam het hare zocht, het leek haar al misplaatst.

Ze heeft geen lawaai gemaakt toen ze thuiskwam. Sébastien sliep al. Een douche nemen. En toen ze naast hem lag, intens verdriet over wat ze gedaan heeft.

Vanaf dat ogenblik bant ze Nicolas uit haar gedachten. Hij belt een paar dagen later, zijn stem klinkt dreigend. Ze wacht tot hij haar vergeet.

★ ★ ★

Op een avond komt ze wat later van de platenfirma thuis. De boss wilde een praatje slaan. Tegenwoordig moet het anaal. Hij heeft een tube glijmiddel gekocht. Ze heeft geweigerd, hoewel ze goed wist dat ze niet lang nee zou kunnen zeggen.

Sébastien zit voor de televisie. Ze loopt door de zithoek – even koket wezen. Dan rekt ze zich uit: 'Eerst een douche nemen, dat zal me opkikkeren.'

'Als het de bedoeling is dat ik niets merk, kun je het beter zo laten… Je stinkt een uur in de wind naar sperma. Trouwens, altijd als je daarvandaan komt.'

Zonder zich druk te maken, alsof hij 'je bent weer brood vergeten te kopen' zei. Zonder er een drama van te maken ook.

De geur van verstrengelde lichamen. Niet je eigen geur, ook niet die van de ander, die aparte geur die je pas na lang schurken krijgt.

Ze zoekt ijlsnel naar woorden om zich te verdedigen, om de klap op te vangen. Ongelooflijk hoe stom ze is geweest, al die maanden dat ze hem verneukt, en hij die het doorheeft.

Hij zapt minutenlang, met uitdrukkingloos gezicht. Die vijandigheid is veel erger dan woede of een vraag om uitleg. Daarvoor is het te laat, het gaat hem helemaal niet meer aan. Een lichte irritatie, gewoon een tegenvaller.

Ze staat er als een zoutpilaar, wat een oen is ze geweest. Ze wordt door schaamte verteerd.

Hoe lang al weet hij het, zwijgt hij, hoort hij haar leugens aan? Ze zou graag naast hem gaan zitten, schuld bekennen, opbiechten, zich van het gewicht bevrijden, hem smeken begrip te hebben.

Maar er is die geur, ze mag niet dichterbij komen.

Ten slotte zegt hij, strak voor zich uitkijkend: 'Achteraf bekeken, ga je toch maar wassen. Anders moet ik kotsen.'

Zijn prachtige profiel – ik hou alleen van jou, niemand anders telt voor mij, kijk me toch aan, maak je dan toch boos, alsjeblieft, dat ik kan zien dat er nog iets is, dat er een band is, dat er nog altijd een band is, toe...

Douche. Zeep over haar hele lichaam, ze schrobt. Als altijd. Haar haren wassen, haar nagels schuieren ook – vijandige, verwoede gebaren. Het vuil wegnemen, overal. Ze huilt terwijl ze het water laat stromen, ze sluit zich lange tijd op, ze is bang om uit de badkamer te komen.

Ik wou dat je het begreep, dat je nog van me hield, dat je me tegen die dingen beschermde en me belette dat te doen. Dat je wist hoe treurig het is als je daartoe in staat bent. Je, zoals ik het gedaan heb, te openen voor een ander dan jij. En dan de keren dat ik klaarkwam. Ik wilde dat ik niet wist wat voor iemand ik ben.

De badhanddoek is droog en zacht, hij ruikt lekker. Ze droogt zich zorgvuldig af, ze huilt minder. Ze wil proberen alles zo goed mogelijk uit te leggen. Ze gaat nu naar buiten, ze zal haar woorden wikken en wegen en hij zal begrijpen wat ze te zeggen heeft.

Nu voelt ze zich haast opgelucht. Ze moet ermee ophouden. Ze zal met Big boss praten en hem zeggen: het spel is uit, bijna had ik alles stukgemaakt.

* * *

Blijkbaar heeft ze een hele poos in de badkamer opgesloten gezeten. Als ze naar buiten komt, is het eerste wat ze merkt dat bijna al zijn spullen weg zijn. Eigenlijk was het niet zoveel – een notitieboekje, een stapeltje T-shirts, een oud boek dat hij overal mee naartoe neemt. Een paar voorwerpen, echt niet veel, maar de leegte die ze achterlaten valt haar meteen op als ze de kamer binnenkomt. Ze loopt naar de slaapkamer, hij heeft ondertussen zijn bagage gepakt. Blijft weigeren haar aan te kijken. Hij duwt haar zacht opzij als hij naar de badkamer gaat om zijn scheerzeep, zijn scheerapparaat, een eau de cologne en zijn kam.

'Wat doe je?'

Alsof dat niet duidelijk was, alsof er een kans bestond dat hij zou antwoorden: ik hou een grote schoonmaak, of ik leg mijn zomerkleren goed, of kom we gaan met vakantie, pak gauw je bagage.

Hij duwt op zijn spullen om zijn reistas dicht te krijgen. Dan zegt hij: 'Als ik bij Claudine wilde zijn, dan was ik wel bij haar ingetrokken.'

'Je kwam haar toch regelmatig opzoeken.'

'Als je wil dat ik nu en dan langskom om je een beurt te geven, kopje koffie drinken en weer oprotten... Het kan hoor, mij maakt het niet uit...'

Alweer tranen, nog altijd zonder geluid, ze voelt hoe ze warm over haar wangen vloeien en onder haar kin stromen. Hij dringt aan: 'Je hoeft het maar te zeggen. Ik ken je niet meer. Je moet me zeggen wat je wil, ik kan het niet raden.'

'Waarom zeg je dat ik zo veranderd ben?'

'Hou je me soms voor de gek?'

Heel even klinkt er wat irritatie in zijn stem. Het is minder erg dan dat andere, maar het duurt slechts heel even. Hij voegt er alleen aan toe: 'Toen ik een jaar geleden de bak indraaide, ging ik met een moordgriet, een echte dame. Nooit had je me bedrogen, ik weet het zeker. Je had respect voor jezelf, je weigerde je te verlagen. Ik was trots op je, als ik een kutwijf zag op straat, dacht ik aan je, wat was ik verrekt trots op je. En zie nou, kijk hoe je gekleed gaat, kijk hoe je erbij loopt... En trouwens, met wie ga je van bil? Of mogen ze je om de beurt een beurt geven? Vind je het lekker als ze je naaien? Of is het lekkerder met mij? Doen ze het goed? Ik heb te veel respect voor je, en jij, jij hebt geen greintje zelfrespect. Dat wordt toch niets, zo'n relatie.'

Ze krijgt de kans niet om te protesteren, hij heeft zijn jack aangetrokken en staat al aan de deur. Hij draait zich naar haar om en streelt over haar wang: 'Ik heb zo van je gehouden, maar nu walg ik van je.'

Ze hoort hoe ze het uitschreeuwt, ze valt stuiptrekkend op haar knieën. Ze ziet hoe zijn blik een laatste keer op haar rust. Er staat alleen misprijzen in te lezen, vermengd met een heel klein beetje medelijden. Hij slaat de deur achter zich dicht, ze ligt op haar rug, ze trappelt en spant zich op, ze gaat als een uitzinnige tekeer. Ze vraagt zich af welk nummertje ze eigenlijk opvoert.

* * *

Ze wordt zonder enige aanleiding midden in haar slaap wakker, het is nog maar net licht. Naast haar is het bed leeg. Het duurt een poosje voor het tot haar doordringt wat er de vorige avond gebeurd is.

Ze heeft geen idee hoe het komt dat ze zo'n bodemloze pijn, zo'n verdriet kan voelen. Wellicht voelt ze niet meer pijn dan een ander, maar ditmaal overkomt het haar.

Grimassen, leugens, krachtig gif – het komt allemaal tegelijk naar boven. Ze ziet hoe ze in het grote bureau staat, zijn spelletjes meespeelt en al die dingen doet, ze houdt het niet voor mogelijk dat Sébastien haar daarvoor in de steek laat. Zoals het ook ondenkbaar is dat hij gelooft dat ze veranderd is, gewoon omdat ze wat lipstick en een paar te diep uitgesneden jurken draagt. Het is een misverstand, hij keert beslist terug. Ze kan hem niet verliezen, het heeft geen zin, en nergens ter wereld is er een meisje dat zo goed bij hem past als zij, zij is voor hem geschapen. Nee, het is een misverstand, hij keert terug.

Ze weet heel goed dat het niet zo is. Ze wil het niet aanvaarden.

Beneden staan een paar dronkelappen elkaar verrot te schelden, anderen proberen hen tot bedaren te brengen.

De ogen die hij zette, toen hij wegging. En zij lag op de grond en ging als een uitzinnige tekeer. Terwijl ze weet dat zoiets hem misselijk maakt.

Ze had het vroeger nooit gedaan.

Dat waren Claudines spelletjes – hysterische aanvallen zodra er iets tegenzat. Toen was het Pauline geweest die vol afkeer en ergernis toekeek.

Deed het haar zus evenveel pijn als haar, toen ze daarnet...?

Voelde ze zich even machteloos, toen haar wereld in duizend stukken uiteenspatte en ze geen raad meer wist met zichzelf en zo bang was, dat ze zich als een gekkin aanstelde?

Haar enige zus. Voelde ook zij zich bevriezen, als ze zag hoe de mannen controle verloren zodra ze zich nog maar begon uit te kleden? Voelde ook zij zich bevriezen, als ze zich liet meeslepen door driften die even krachtig waren als beschamend?

Haar enige zus. Voelde zij zich even beroerd, als ze voor dag en dauw in ditzelfde bed wakker werd? Naast de parfumflacons op de kast liggen er massa's slaapmiddelen.

Pauline staat op en neemt er twee in. Dan gaat ze languit liggen wachten, krachteloos, verpletterd, misselijk. Ze voelt de blik van de geliefde die ze verdriet heeft gedaan door zo te mislukken, zich zo te verlagen. Zijn oog volgt haar overal en vindt het zonde te zien wat het ziet. Het pijnlijke besef dat ze niet is zoals het hoort, dringt haar door merg en been.

WINTER

De schminkster is zwijgzaam. Ze ergert zich over haar collega's die geen klap uitrichten en 'm piepen in plaats van te werken. En hou je hoofd zus en draai je hoofd zo, omhoog kijken alsjeblieft en knijp je ogen even dicht. Toen Pauline ging zitten, slaakte ze een zucht 'nou, dat duurt wel even, voor u een teint heeft'.

Ze zijn met zijn vijven die er tegelijk aan moeten geloven, ze zitten op een rij voor een grote spiegel. Het meisje van het weerbericht loopt af en aan, vertelt aan één stuk door flauwe grappen, ze is in grote vorm.

Bij de kapster, 'Wat kan ik voor u doen?' Alleen mijn haar glad kammen. Ze raadt Pauline zachte amandelolie aan, op de punten, prima voor het haar.

Pauline hoort Martin-de-zeikerd aan het eind van de gang, hij komt eraan en keft: 'Schatje, wat zie je er beeldig uit!'

Van haar eerste single zijn er tweehonderdduizend exemplaren verkocht. In minder dan twee maanden. Hij kan het nauwelijks geloven. Maar hij gedraagt zich wel heel aardig nu, haast eerbiedig. Hij verdedigt haar als ze aangevallen wordt, 'oké, ze is met hem naar bed gegaan om het contract binnen te rijven. Maar je gelooft toch zelf niet dat je al pijpend de weg naar de top kunt afleggen…', op zijn eigen nichterige manier.

Hij masseert haar schouder, vraagt of ze zich oké voelt. Tegenwoordig glimlacht ze de hele tijd. Het wordt een soort reflex – zodra ze iets hoort, glimlachen.

In de loge. Bloemen, alcohol, bonbons. Martin in het gezelschap van de persattaché. Dezelfde die gevraagd heeft: 'Stuur ik de single van miss lellebel ook naar de kleuterschool? Ze kunnen niet jong genoeg zijn, als we iets van die shit willen verkopen.'

Tweehonderdduizend, en jij stomme troela, amme-hoela! Da's ten minste klare taal.

Ze is hier voor haar tweede single. De producer is een coole bink, leuke kop. Hij zegt dat ze een 'good girl' is. Komt later even aanwaaien: 'Alles kits, niets meer nodig?'

'Ik weet niet meer waar de wc is.'

Hij loopt met haar mee. Een lijntje op het deksel van de plee. Ze probeert niet te hard te snuiven.

Licht op de scène, ze brengt haar nummer. Ze kan het niet vinden met de knul van de opname, Nicolas' vervanger. Het zint hem niet dat hij met haar moet werken, omdat zijn makkers de draak met hem steken: 'Nou schrijft ie pop voor barbiepoppen.' Maar het is hem alleen om de poen te doen. Soms verandert hij voor de lol een stukje. Zonder haar te waarschuwen, om te zien of ze op haar bek gaat. Je bent aan het verkeerde adres, poepie, je mag de hele song door elkaar haspelen, ik kom toch weer op mijn pootjes terecht. Ze hoeft geen moeite te doen, als ze aan de tweede strofe begint te schreeuwen – een langgerekte, ijselijke kreet – wellen de tranen van-zelf op. Ze hoeft het helemaal niet ver te gaan zoeken.

In haar loge komt iedereen haar gelukwensen. Ze neemt de bloemen mee, slaat Martins uitnodiging: 'Gaan we iets drinken, met de hele keet?' af. Het kan haar wat, de laatste roddels over iedereen, en wie er verdikt is, en hoeveel platen Dinges verkocht heeft en hoe oud Dinges er ineens uitziet, en bij wie Dinges getekend heeft.

Ze wordt met een auto naar huis gebracht. De chauffeur is een oude man met een Spaans accent. Hij vertelt hoe hij zijn vrouw vijftien jaar geleden voor een jong ding verlaten heeft – een bevlieging. En hoe erg het hem spijt. 'Na zes maanden al wist ik dat ik me vergist had.' Maar ze was al bij een ander ingetrokken. En sindsdien wacht hij. 'Mijn kinderen zeggen dat ik gek ben. Maar zij is de ware, en niemand anders.'

Dat heb je met coke, als het begint te zakken, doet het vreselijk pijn. De tranen springen haar in de ogen. Ze vraagt: 'En denkt u dat ze nog terugkomt?' Hij weet het zeker: 'Ik wacht op haar. Ik heb wat opzijgezet, we kunnen samen rustig oud worden.'

★ ★ ★

Wat later, thuis, een hele resem berichten op het antwoordapparaat. Journalisten van de geschreven pers, televisiejournalisten, fotografen, radiojournalisten en voorts van alles en nog wat dat van alles en nog wat wil weten. Ze luistert naar het hele zootje en vraagt zich af of Sébastien ooit nog belt. Hij is naar hun dorp teruggekeerd en woont nu samen met iemand die ze goed kent, een toffe meid. Hij heeft er geen gras over laten groeien. Het was wellicht praktischer zo.

Big boss heeft gelukwensen ingesproken, het gaat van 'm'n honneponnie' over 'en dit is nog maar het begin' tot 'ik ben ontzettend gelukkig'.

De dag nadat Sébastien vertrokken was, had ze Big boss gebeld. 'Kan ik je spreken?'

'Ja, natuurlijk, wanneer je maar wil.'

Ze kwam op zijn bureau aan: 'Ik kom u zeggen dat ik die plaat niet kan maken.'

Eerst dacht hij dat ze bang was, het was nog maar drie dagen voor de opname. Hij nam het luchtig op, gaf haar wat schouderklopjes: 'Bang voor de grote sprong, hé? Nu je er bijna bent, krabbel je terug... Maak je geen zorgen. Ik heb er het volste vertrouwen in. Als het moment er is, dan sta je daar, en je zult geweldig zijn. Je bent ervoor gemaakt, ik weet het zeker.'

Ze schudde haar hoofd, kon geen woord uitbrengen, toch wel danig in de war. Ze begon te huilen, hij kwam naar haar toe, ze duwde hem met beide handen weg: 'Jij smerig zwijn, raak me verdomme niet meer aan! Hoor je? Ik wil die snertplaat niet meer maken en je gore spelletjes meespelen!'

Op slag ging hij zich anders gedragen. Hij wachtte tot ze tot bedaren kwam, belde zijn afspraken af, waarschuwde zijn vrouw dat hij later zou thuiskomen. Ze bleven in het bureau tot iedereen weg was. De eerste uren kon ze geen woord uitbrengen, ze wilde weggaan maar eerst ophouden met grienen, om niet in tranen langs al die mensen te moeten die haar zouden uitlachen. Het was een obsessie, wat de mensen zouden denken, 'ze kunnen hun lol vast niet op, als ze horen hoe ik erin getuind ben', bleef ze maar herhalen.

Big boss luisterde naar haar onsamenhangende verhaal waar kop noch staart aan zat. Ze zei: 'Het is de schuld van de plaat, dat hij vertrokken is. Daarom wil ik hem niet meer maken. Ik wil geen slet zijn, begrijpt u?'

En terwijl ze haar hart uitstortte, voelde ze wroeging dat ze het deed waar hij bij was, en toch was ze net bij hem gekomen. Dus nam ze het zich nog meer kwalijk, 'al haar troep heeft ze me in de maag gespitst. Vroeger was ik zo niet, zeker weten. Al haar bocht heeft ze me in de maag gespitst. Maar ik ben anders dan zij, ik moet die rotzooi niet.'

Hij heeft het helemaal alleen gesnopen. Hij zei 'ik wist niet dat je een vaste vriend had'. 'Het gaat u geen snars aan', had ze geantwoord.

Ten slotte is hij naast haar komen zitten. Voor hij dichterbij kwam, stak hij zijn hand op: 'Maak je geen zorgen, ik raak je niet aan, ik wist niet dat je een vriendje had.' En plotseling leek het wel of hij zich tot zijn dochter richtte. Hij excuseerde zich, echt bedremmeld opeens: 'Ik geloof dat ik me in jou vergist heb, Claudine. Het is niet makkelijk, weet je, iemand te kennen als die persoon met geen woord over zijn gevoelens rept. Ik ben blij dat je met me bent komen praten.'

Waarna hij een fles whisky tevoorschijn haalde en met haar klonk: 'Op je plaat, het wordt een fantastisch succes. En je vriendje keert terug, een vrouw als jij laat je niet zomaar in de steek. Op de toekomst die je toelacht.'

Hij heeft haar nooit meer naar zijn bureau geroepen, zelfs geen dubbelzinnig gebaar meer gemaakt. Hij heeft de opname van nabij gevolgd en toen de plaat uitkwam, legde hij nog meer ijver aan de dag – kon ze zien wat voor iemand hij wel was. Een kerel uit één stuk.

Ze is thuis. Ze heeft geen slaap. Ze probeert haar dealer te bereiken, maar de lijn is de hele tijd bezet. Ze zou hem graag zien, het is de enige knul die ze tegenwoordig kan uitstaan. Altijd in een goed humeur, hij vertelt over zijn onwaarschijnlijke opdrachten: als het geen zwendel is in metrokaarten, zijn het gesmokkelde sigaretten of Hermès-foulards die hij uit onmogelijke landen heeft meegebracht. 'We rijden voorbij de tolversperring en ineens zien we de vliegende douane, ik doe het haast in mijn broek. "Nou hang je", denk ik.' En altijd weet hij zich te redden.

Ze zet de tv nooit meer aan, omdat ze er te vaak op komt. Ze zal nooit wennen aan haar eigen stomme smoel. Je verkoopt die troep niet zomaar. Overal ziet ze zichzelf. En nooit heeft ze zo weinig bestaan, geen leven, niets. Maar haar beeld is overal. Men gaat heftig tegen haar tekeer, het gedroomde kutwijf waar je naar hartelust je haat op botviert.

Ze rolt een stevige joint, twee blaadjes. Zoals elke avond wil ze ook nu wegzakken in een roes. Ze voelt zich niet sterk genoeg om zomaar rond te hangen en te niksen.

★ ★ ★

'Claudine, geef antwoord, het is belangrijk.'

Het is midden in de nacht. Ze droomde van water dat doorsijpelde, hele stukken muur die inzakten, het plafond dat naar beneden kwam. Het duurt een poosje voor ze aan de oppervlakte komt en begrijpt wat er aan de hand is. Big boss staat op het antwoordapparaat. Ze verroert niet. Kan hij haar niet rustig laten slapen? Hij dringt aan: 'Antwoord alsjeblieft.'

Ze staat op en voelt zich loodzwaar, haar hele lijf wil slapen, languit liggen, niets horen. Het antwoordapparaat slaat af, hij praatte te lang aan één stuk door. Ze kijkt op de klok, het is halfzeven. Hij staat elke dag zo vroeg op om zijn gymoefeningen te doen. Het vraagt nogal wat onderhoud, de body van een krasse knar. De telefoon rinkelt opnieuw, ze neemt de hoorn af. Hij klinkt geweldig verveeld: 'Waarom heb je me niet gezegd dat je dat gedaan hebt? We hadden iets kunnen doen...'

'Hé, kalm aan! Dat ik wat gedaan heb?'

'Kun je het niet raden? Videotapes, het gaat om videotapes... Ze wijden er een ellenlang artikel aan. Morgen ben je de talk of the city.'

'Ik snap het nog altijd niet.'

Ze valt haast in slaap waar ze staat. Echt het geschikte moment voor raadseltjes.

'Je pornofilm, honneponnie... Dat moest ooit aan het licht komen, dat wist je toch. Waarom heb je me niets gezegd? Hij is in handen gekomen van een grote producent, ze maken er een ongelooflijke heisa rond. Het kon op geen slechter moment vallen...'

'Mijn pornofilm?'

'Je zegt me toch niet dat je het niet meer weet?'

'Ja, ja. Natuurlijk. Zoiets vergeet je niet licht.'

'Heb je hem thuis?'

'Eu... Nee. Ik heb hem niet bewaard.'

'Ik laat hem hier bezorgen. Zie ik je straks, laten we zeggen om één uur? We moeten overleggen wat we kunnen doen. Ik waarschuw de advocaat. Ik zal...'

'Kun je een koerier met een kopie langs sturen? Om mijn geheugen op te frissen.'

Als ze ophangt schiet ze in de lach. De zenuwen, het is een tikkeltje misplaatst. Maar tegelijk is het dolkomisch.

Ze gaat weer naar bed. En dan begint haar droom opnieuw. Met het lekkende water. De plankenvloer is verzakt, de flat staat op instorten en de beheerder wil niets doen.

★ ★ ★

De titel is *Een snoezig poesje*. En je ziet het op het doosje. In close-up. Werkelijk close. En erboven Claudines hoofd, in profiel. Ze zuigt een vent af.

Als de videoband bezorgd wordt, is Pauline al beter uitgeslapen. Ze weet niet goed of ze wel wil kijken.

De film begint. Claudine is thuis. In haar eigen flat, dezelfde waar Pauline nu woont.

Ze zit voor haar minitel, blote kont onder een T-shirt, bloedernstig, ze noteert een telefoonnummer en klikt op 'verbinding verbreken'. Dan belt ze iemand op.

'Nou, geile bink, wilde je niet lekker met me stoeien?' Ze geeft haar adres en haar code, zegt dat ze op hem wacht en dat ze reuze lol gaan trappen.

Daarna maakt ze zich klaar. Ze neemt een douche en trekt een jarretelhouder aan. Alles is bij haar thuis gefilmd. Ze staat voor de spiegel, past sexy ondergoed. Nu nog schminken, parfumeren. Net als ze klaar is, gaat de bel. Ze doet de deur open voor de vent, die haar meteen begint te betasten 'Bof ik even, tjonge wat 'n moordgriet.'

Hij heeft een fles whisky meegebracht, hij wil dat ze op handen en voeten gaat zitten om hem in te schenken. Ondertussen streelt hij haar achterste, hij is tevreden, 'je hebt geen slipje aan, net wat ik wilde, goed zo, lekker teefje, wat een zacht poesje, en al helemaal vochtig'. Dan moet ze hem pijpen, maar zonder handen. Het is heel belangrijk: zonder handen. Terwijl ze daarmee bezig is, rinkelt zijn gsm. Hij legt uit: 'Ik laat me net afzuigen. Momentje, blijf aan de lijn'. En hij zegt aan Claudine: 'Ga je gang, lik mijn ballen nou', en tegen zijn vriend: 'Kom je langs? Zo'n stoot kan er best twee tegelijk aan.'

Pauline zit voor haar tv. Ze staat er niet echt stil bij. Hoewel ze even paniekerig reageert: 'Iedereen zal het zien, ze zullen denken dat ik het ben', nou ja, eigenlijk kan het geen kwaad. Vooral omdat haar zus schittert in haar rol.

Ze laat de videoband verder lopen. Vreemd, het roept beelden op uit haar kindertijd, idiote herinneringen waar ze nooit aan denkt en die toch glashelder gebleven zijn.

Claudine was een kei in gym. Op de balk en de ongelijke leggers deed ze ongelooflijke dingen. Ze waren nog klein, in de turnles droegen ze een kanariegeel T-shirt van de school. Haar zus was een fee, ze deed heel ingewikkelde oefeningen, alle meisjes keken naar haar. Ze droeg altijd speldjes in haar haar. Moeder wilde niet dat ze hun haar lieten groeien, dat was veel te lastig. Claudine huilde telkens als ze naar de kapper moesten. Ze bleef halsstarrig haarspelden dragen. Als ze op de balk klom, nam ze instinctief een kaarsrechte houding aan, als een grote turnster. Ze had nog een kinderlijfje, een platte borst en korte beentjes. Ze stelde zich aan als een grote. Terecht ook, ineens nam ze een aanloop, buitelde in de lucht, achterwaartse salto en ze landde op haar voeten, onberispelijke houding, een fluitje van een cent.

De bewuste vriend is aangekomen, ze zitten in de slaapkamer. Ze pakken haar in al haar openingen, zoals men dat zo plastisch uitdrukt. Als ze klaarkomt is ze beeldschoon. Ondanks hun smerige praat, ondanks de slechte seks, ondanks hun gemene tronies. Als ze klaarkomt, het kan haast niet dat ze het faket, is ze ongelooflijk knap. Haar gezicht straalt, ze ziet er ontspannen uit, haar ogen dwalen af, een zweem van een lach, of staat ze op het punt te huilen? Ze is goed in beeld gebracht, bijwijlen lijkt ze zelfs gelukkig.

Toen ze klein waren, hadden ze een hond. Zodra ze alleen waren, sloot Claudine hem in een kamer op. Ze stond achter de deur te wachten tot hij jankte om buiten te mogen. Waarop ze woedend werd en hem verrot sloeg, ze schopte hem tot hij begon te kotsen. Daarna deed ze de deur weer dicht, dreigde als hij lawaai begon te maken. Het pupje was doodsbang en liet zich niet meer horen. Toen kwam ze het troosten, ze nam het in haar armen, het trilde van angst, ze zoende het overal, 'mijn arme schatje'.

Ze gaf ook haar poppen straf. Als ze stout geweest waren, rukte ze hun een arm uit en kregen ze een fikse bolwassing, 'dat gebeurt met stoute meiden. Je wil het niet begrijpen, hé?' Waarop ze een been uitrukte, 'en toch zul je het begrijpen, wacht maar!'.

Nu stapt ze met de twee venten in een auto. Pauline heeft niet gehoord of ze zeiden waar ze naartoe gingen. Ze heeft stijl in haar zwarte mantelpakje, zelfs al is ze poedelnaakt eronder.

Ze komen bij een dancing aan. Afgeladen vol met dansende meiden, jonger dan twintig en bloot onder hun toch al korte jurkjes. Claudine waagt zich op de dansvloer, ze draait moedig met haar kont. Dat is haar sterkste kant niet. Ze heeft geen benul hoe je moet bewegen.

Zodra ze oud genoeg waren om naar een fuif te gaan, danste zuslief alleen nog slows. Spoedig zag ze af van elke activiteit die niet rechtstreeks met de versierkunst te maken had. Ze las niet, en had geen vriendinnen, ze was met gym gestopt. Ze legde zich volledig toe op de versierkunst. En dat lukte haar zo goed, dat het bespottelijk, flauw leek zich nog voor iets anders te interesseren.

Je had er die het nooit te boven kwamen. Ze schreven haar de meest onmogelijke brieven, soms jaren nadat ze het had uitgemaakt. Ze keek naar de envelop, herkende het handschrift en gooide de brief meteen weg. Vermoeid, 'laat die klit me dan nooit met rust?'

Bovendien was het een piepklein nest, en zij, zij was de queen of the city.

Ze staat nog altijd op de dansvloer en begint aan een nummertje met een andere griet, boezem tegen boezem, heupwiegend, heel erg close. De rode moordgriet. Pauline herkent haar meteen, hoe heette ze alweer: Claire. Dezelfde die haar hand vastpakte en over alles haar mening wilde weten.

Ze beginnen aan hun nummertje en iedereen staat erop te kijken – een grote kring van toeschouwers, tastende en scharrelende mensen. Het zijn vooral mannen, heel veel mannen.

Claudine had nooit vriendinnen. Ze was op haar hoede voor andere meisjes, en omgekeerd was het nog erger. Ze zei dat ze niet van meiden moest hebben: 'Het zijn allemaal krengen.' Ze kon niet verdragen dat er iemand even mooi was als zij. Behalve wereldberoemde actrices, en als het enigszins kon overleden. Alsof ze anders niet meer bestond, men moest haar laten geloven dat zij de enige vrouw op aarde was. De enige die in staat was zulke emoties bij de mannen op te wekken.

Minutenlang heeft het niets met porno te maken, ze zoenen en strelen elkaar, raken elkaar aan, fluisteren dingen die hen aan het lachen maken maar die de toeschouwer niet kan horen. Het lijkt wel of ze elkaar bijten, ze kijken elkaar aan, hun ogen glanzen. Daarna kleden ze zich uit en betasten elkaar, ze kunnen niet van elkaars borsten afblijven.

Claire vond haar vast ontzettend koel, de andere avond – na alles wat ze samen deden. Ze is nog knapper dan in werkelijkheid, op tv ziet haar lichaam er beeldig uit. Wit, lang. Een heks. Ook zij is bloedmooi als ze klaarkomt, het is haast ontroerend hoe ze met elkaar omgaan. Tegen elkaar aan gedrukt vingeren ze elkaar, ze blijven elkaar aankijken, behalve als ze hijgend hun ogen sluiten.

Waaraan dacht ze, toen ze zo bezig was? Terwijl ze het deed, ervoor, erna? Keek ze achteraf naar de film? Was ze er trots op? Heeft iemand haar ooit gezegd dat ze ongelooflijk mooi was, als ze zich totaal overgaf?

Wist ze nog hoe die dingen haar bezighielden, toen ze klein was? 'Je mag nooit met een jongen naar bed gaan als hij je niet ten huwelijk gevraagd heeft. Anders heeft hij geen respect voor je. Zelfs als je er heel erg zin in hebt. Maar hij moet wachten en met je trouwen. Anders moet niemand nog van je hebben.' Maar dat was voor ze eraan begon. Ze was snel anders gaan praten: 'Als je een vent wil houden, moet je hem zeggen dat hij een grote pik heeft en dat het met niemand zo lekker is als met hem. Je mag niet bang zijn hard in zijn oren te schreeuwen. Zelfs als je je verveelt. Je moet gillen, schreeuwen en dan is hij zo gedwee als een lam.'

Ondertussen – in de film – zit ze op haar knieën. Het wordt al iets pikanter. Met haar vriendin roodhoofd begint ze een voor een alle mannen te pijpen. Die zijn dichterbij komen staan en wachten geduldig hun beurt af. Pauline probeert ze te tellen, maar ze vullen het hele scherm en achter hen staan er nog anderen. En maar pompen, en maar pompen, benen gespreid zodat alles goed in beeld komt.

Nooit was ze verliefd. Het had meer van een koehandel – hoeveel geef je me om me te krijgen? En zelf liet ze zich door niemand aan de haak slaan, nooit. Met uitzondering van Sébastien misschien. Wat bracht het haar op dat hij kwam en haar naaide, als ze er haar tweelingzus achteraf niet eens probeerde mee te kwetsen? Toen Pauline de kast doorzocht, heeft ze een aantal losse briefjes gevonden, vol met korte tekstjes. Over iemand waarop ze altijd zit te wachten, maar die slechts heel zelden langsloopt, ze hangt uit het raam en kijkt of hij eraan komt. En als hij komt, schaamt hij zich erover, en nooit kan ze hem zeggen 'blijf bij mij, ik heb je nodig'. In een andere tekst staat dat hij vraagt of ze het doen zou, voorgoed bij hem blijven. Ze schrijft dat ze er geen flauw benul van heeft, en hij, hij zegt 'ik weet het. Maar ik zou niet bij je kunnen blijven. Je zou smerige streken uithalen, dat weet ik zeker', en ze komt tot de conclusie dat hij gelijk had.

Ze hielden elkaar voortdurend in het oog, ze wilden alles zien – wat de andere had, en welke dingen ze ontzettend miste.

Nu wordt het een heuse marathon. Ze ziet er vreselijk uit. Badend in het zweet, van kop tot teen onder het sperma. Maar hoe lang al rukt ze, pijpt ze, rukt ze, pijpt ze? Ook roodhoofd geeft het niet op. Ze zijn allebei kapot, ze proberen zich goed te houden, er stralend uit te zien. Maar ze zijn pompaf, het is eraan te zien, het wordt haast komisch. En de venten blijven maar komen, hop, ze stouwen hem in hun mond, de meesten hebben niet eens een stijve, wat hen toch niet tegenhoudt.

Zo gaat het nog een hele poos. Pauline spoelt het beeld versneld door tot het einde. Ten slotte belanden ze allebei aan de bar, waar de venten hen met champagne besprenkelen. Douche, ze staan dicht tegen elkaar aangedrukt en wuiven met de hand. Zoals de koningin tijdens een optocht.

Pauline staat op en kijkt op de klok. Ze moet zich haasten voor de afspraak. Wat moet ze allemaal nog doen voor ze naar buiten kan? Als ze maar een schone panty heeft, en schoenen zonder kapotte hakken, en wat moet ze vandaag weer aantrekken, en ze had een peeling nodig maar er is geen tijd meer voor, en haar haar glanst niet, ze moet het wassen, en ze moet zich opmaken want ze heeft ongelooflijke wallen onder haar ogen. En dan vliegt ze erin, beweegt hemel en aarde om er toonbaar uit te zien en toch niet te veel te laat te komen.

Het deed haar aan Nicolas denken. De laatste tijd verlangt ze soms naar zijn aanwezigheid. Terwijl ze naar de video keek, was er die verwarrende opwinding, ze wilde dat hij er was om met haar te vrijen.

Ze gaat opnieuw zitten. Shit, waar is de broek die ze droeg toen ze in Parijs aankwam, en de bijbehorende vormeloze trui?

★ ★ ★

Big boss maakt er een drama van, hij gedraagt zich alsof ze hem bedrogen heeft. 'Wat moeten we nou beginnen?', vraagt hij.

'Ik kan het moeilijk ontkennen.'

'Wat stel je dan voor?'

'De verantwoordelijkheid dragen.'

Ook Martin ziet eruit alsof hij in de rouw is. Men heeft zijn speeltje stukgemaakt. De persattaché is ontzet: 'Dit is vreselijk voor ons imago, een heuse ramp.'

'Nou, jongens, jullie zijn niet erg bijdetijds. Tegenwoordig beginnen ze er allemaal mee, je kunt het ook zo bekijken.'

'Blijkbaar vind je het nog leuk ook!'

Dat speelt ook mee. Het frisse, dynamische zangeresje – dat idee kunnen ze voorgoed in hun reet stoppen.

Martin roept buiten zichzelf: 'We moeten het Elysée annuleren.'

'Ben je nou helemaal betoeterd?'

Ze grabbelt haar spullen bij elkaar, staat op: 'Er is geen vuiltje aan de lucht, jongens: zo'n reclame slaat in als een bom.'

Big boss zit werkelijk te mokken. Wat hem het meeste dwarszit, wedt ze, is dat hij haar nooit zo gezien heeft als Claudine in de video. Hoe erg hij ook zijn best heeft gedaan, nooit heeft hij haar zo laten klaarkomen.

★ ★ ★

De vrouw uit de naburige krantenkiosk weet dat Nicolas goed bevriend is met Claudine. Telkens als er een artikel over haar verschijnt, roept ze hem.

In het begin voelde hij een stekende pijn wanneer hij haar foto in de krant zag staan. Een martelend gemis dat ineens opwelde. Te weten, te zien dat ze nog bestond, maar dat haar leven zich voortaan buiten zijn gezichtsveld afspeelde.

Op den duur is hij het gewoon geworden. Hij leest de artikels nauwgezet, rangschikt de foto's, zomaar, voor de lol: Pauline of Claudine? Wellicht heeft ze foto's van haar dode zus gevonden, die ze naar de pers stuurt. Hij weet altijd wie wie is.

Voor de rest verbaast het hem niet dat ze het voorpaginanieuws haalt. Het raakt hem veel minder dan de krantenverkoopster, die hem na een paar weken als een held beschouwde, omdat hij 'de zangeres kende'.

Vandaag wenkt ze hem zo heftig dat hij meteen weet dat er iets gebeurd is. Ze is helemaal ondersteboven, 'het gaat over je meisje', en ze reikt hem een stapel kranten aan. Hij bladert erin en begrijpt het. Claudines video. Een tijdje geleden was het een van haar obsessies: een pornofilm maken, 'dat opent alle deuren'. Maar na de eerste film was ze op geen enkele afspraak meer verschenen, ze had het er nooit meer over gehad.

Hij had de film thuis, bij een van zijn vrienden, bekeken. Zelfs geen schijntje van een erectie. Zo heilig was het verbond tussen haar en hem.

Op die manier slaagt hij er zelfs in op de foto's Pauline van Claudine te onderscheiden: naargelang hij een stijve krijgt of niet.

De krantenvrouw staat helemaal aan haar kant: 'Wat een rotstreek, ouwe koeien uit de sloot halen om haar reputatie naar de bliksem te helpen... Wie weet hoe ze in de penarie zat als ze zich daartoe leende...'

Maar ze is zichtbaar ontgoocheld.

'Kom je achteraf naar het feest?'

'Yep, ik loop wel even langs, denk ik.'

Hij heeft een uitnodiging voor het concert gekregen. Haar eerste teken van leven sinds de place de l'Italie. De zaal zit tjokvol, vooral jonge meiden met overal ringetjes.

Sinds het gedoe rond de video is Claudine-Pauline goed op weg de bezielster van alle woeste wijven te worden. Ze blijft het hoofd koel houden bij al die commotie.

Toen hij begreep dat ze hem niet meer wilde zien, liep de ballon die hem al een hele tijd liet zweven plotseling leeg en kukelde hij onzacht tegen de vlakte. Het werd snel ondraaglijk: telkens als hij een meisje zag, vergeleek hij haar met Pauline-Claudine en voelde hij hoe absurd een bestaan zonder haar wel was.

Hij onderging dingen waarvan hij altijd had aangenomen dat ze alleen anderen overkwamen. De honger naar iemand, die al het overige uitschakelde.

En het onaflatende verlangen om te neuken was achteraf, na die eerste keer, nog erger geworden. Ze wasemde een en al seks uit.

Het licht dooft, van de eerste rijen stijgt gejoel op, de intro komt eraan. Op een reuzenscherm achter het podium begint een film te lopen. Onmiddellijk herkent hij Claudine, die op een minitel zit te tokkelen.

Als ze aan de fellatie toe zijn, komt Pauline op.

Ze draagt dezelfde kleren als toen ze in Parijs aankwam. Maar op de scène komt ze minder onzeker over.

Het publiek onthaalt haar met enthousiast gefluit, de meiden lijken het optreden te smaken.

En dan begint het. Haar stem ontroert hem. Hij vindt het ondraaglijk dat hij opnieuw zo ver weg is van haar.

★ ★ ★

'Wat 'n aanstelster, hè?'

'Tja, ze beschouwt zichzelf als een artieste. Ze zien nogal af met haar.'

'En als ze nog kon zingen!'

'Wel, het is maar te hopen dat ze geen nieuwe mode lanceert... Heb je gezien hoe ze erbij loopt?'

De meeste mensen praten over andere dingen dan het concert. Maar Nicolas' buren gaan helemaal in hun gesprek op. Hij staat aan de bar maar heeft zich danig misrekend, de kelner komt nooit in zijn buurt.

Als ze verschijnt gaat er een deining door de zaal, 'daar is ze', 'daar is ze', alle hoofden draaien in haar richting, ze zeggen het voort. Ze laat iedereen koud, maar het is uiteindelijk toch haar feest en ze komt vaak op tv, dus wil men toch weten hoe ze er in het echt uitziet.

Ze houdt haar hand om het middel van roodhoofd uit de film, ze stralen. Duidelijk opgepept, de kale kak ligt er te dik op.

De mensen verdringen zich om haar, gelukwensen, ze glimlacht naar iedereen, knikken, handjes geven.

Big boss huppelt om haar heen en richt zich tot de omstanders: 'Ze is fantastisch! Fantastisch!'

Eindelijk slaagt Nicolas erin een drankje te bemachtigen. Hij gaat in een hoek staan om het rustig uit te drinken. Het verbaast hem dat hij zo van streek is. Het kost moeite om niet in te grijpen, iedereen opzij te duwen en te schreeuwen: 'Die vrouw is van mij, ik wil alleen zijn met haar, rot op.'

Ze verdwijnt uit zijn gezichtsveld, een massa kloothommels in haar kielzog.

Hij zet zijn glas op de toog en loopt naar de uitgang. Dan hoort hij hoe ze hem roept, het doet hem toch plezier. Ze pakt hem bij de arm en loopt met hem mee de straat op. Ze lopen haar achterna, 'wat doe je?' Ze gebaart dat ze dadelijk terugkomt.

Ze staan tegenover elkaar, hebben elkaar niet veel te zeggen.

'Het concert was hartstikke goed. Meer hardcore dan grunge, zou ik zeggen. Hartstikke goed, toch.'

'Je hebt het fout. Het was hartstikke grunge. Wat spook je tegenwoordig zoal uit?'

'Nou, niks. En jij, je nieuwe leven, bevalt het je?'

'Een en al chaos, je hebt geen idee. Heb je dat hele circus om me heen gezien? Ik wist niet dat ik daarvan hield, maar shit, joh, ik ben er dol op.'

'Kennelijk.'

Martin de slijmbal komt haar halen, hij ziet Nicolas geeneens staan: 'Raad es wie er beneden is?'

Dodelijk opgewonden. Wellicht een hoge ome.

Voor ze vertrekt vraagt Pauline: 'Mag ik je bellen, om es af te spreken?'

'Als je niets beters te doen hebt, ga je gang.'

★ ★ ★

'Hallo, met Claudine, ben je toevallig thuis?'

'Zelfs als je mij belt, gebruik je niet langer je eigen naam? Ben je nou helemaal?'

'Nee, maar ik ben het niet meer gewoon. Stoor ik?'

'Niet echt. Ik heb een spelconsole in bruikleen. Ik ben Russen aan het afmaken.'

'Ik heb dat nog nooit gespeeld.'

'En ik doe niets anders meer.'

'Mag ik langslopen?'

'Vandaag?'

'Ja, of wanneer het je uitkomt.'

'Nou, ik ben niet echt overboekt. Nu is oké, en morgen idem.'

'Ik ben nog nooit bij je thuis geweest. Leg es uit waar het is?'

★ ★ ★

'Schuif wat opzij, je neemt alle plaats in beslag.'

'Hou op met je gelul, je kunt gewoon niet tegen je verlies.'

'Maar ik verlies toch niet, wat bazel je nou? Ik heb nogal wat wedrennen gewonnen.'

'Eentje, ja, in het begin, omdat je mazzel had, en voor de rest kom je voortdurend in het gras terecht, als je al niet crasht.'

'Je bent van slechte wil. Nog een partijtje?'

Hij drukt op *reset*, gaat opnieuw zitten. Ze zegt, heel overtuigd: 'Ditmaal maak ik je af.'

Einde van een reeks van vier wedrennen. Ze is telkens achtste geëindigd: 'Nou, dit zit me tot hier. Echt een spel voor kleine kinderen. Heb je niets anders dat we met z'n tweeën kunnen spelen?'

'James Bond, we achtervolgen elkaar en proberen elkaar neer te knallen.'

193

'Laat zien.'

Ze kijkt naar buiten, het is donker: 'Bestellen we pizza?'

'Je snuift aan één stuk door, hoe kun je nou honger hebben?'

'Welja, ik probeer de hele tijd spaced out te zijn, maar zo nu en dan moet ik iets eten.'

'Je bent ongelooflijk vermagerd.'

'Ik eet wat minder dan vroeger. Hoewel, dikwijls heb ik honger, maar krijg ik geen hap door de keel. Bestellen we pizza?'

Na de middag, toen ze pas aangekomen was, liep het nogal stroef. Nicolas pijnigde zijn hersens om een vraag te vinden, of een anekdote die hij kon vertellen. De flat was te klein, de stilte loodzwaar.

Ten einde raad had hij gevraagd: 'Proberen we de spel-console?' Uit beleefdheid, maar ook omdat ze dan minstens een half uurtje moest blijven. Ze was op het voorstel ingegaan.

Ze begonnen een wedren en vergaten dat ze zich niet op hun gemak voelden.

Ze straalt iets bedrukts uit, een zweem van droefheid die er vroeger niet was.

Hij kan maar aan één ding denken, met haar naar bed gaan. Hij wil de warmte van haar grot, hij wil dat ze al haar deuren voor hem openzet.

Toch voelt hij dat het van haar moet uitgaan. Anders geeft ze zich om meteen daarna weer in haar schulp te kruipen, en begint het opnieuw: 'Ik wil je nooit meer zien.'

Daarom is ze naar hem toe gekomen, maar ze is bang haar vingers te branden. Hij moet haar de tijd gunnen om tot rust te komen.

Hij kijkt hoe ze speelt, haar hand krampachtig om de joystick geklemd. Een echt meisje, ze houdt niet op zichzelf verwijten te maken, 'shit, Pauline, wat heb je nou weer uitgespookt?', in plaats van zich op de console boos te maken. Hij merkt op: 'Je klooit maar wat aan, de zombies hebben je al te grazen genomen...'

'Het zal me wat, ik pak gewoon nog een paar levens. Je hebt weinig respect voor mijn strategie, vind ik.'

'Achter de reus zit een massa munitie verstopt, je moet eerst hem afmaken.'

'Nee, ik knal geen reuzen neer.'

Bij dageraad gaan ze naar buiten, koffie drinken. Ze hebben allebei een slaapkop en krijgen om de haverklap de slappe lach. Ze is enthousiast: 'Mieterse spelletjes, te gek... Stom dat we het niet konden afmaken.'

'Als je wil, save ik het. Ik kan wachten tot je nog eens komt om het af te maken.'

'Ik heb wel honderdduizend dingen te doen, voor kerst zie je me niet terug, niet deze kerst, de volgende. Dus je kunt maar beter niet op me wachten.'

Hij belandt ineens weer in de werkelijkheid. Sinds gisteravond had hij er niet meer aan gedacht dat ze elkaar niet langer om de andere dag zagen. Hij gebaart dat hij het niet merkt, maar hoort droefheid in haar stem. Hij zou kunnen voorstellen 'je moet maar bij me blijven', in plaats daarvan vraagt hij: 'Heb je het echt zo druk?'

'Overboekt, zoals elke stomme yuppietrut. Gisteren was ik het spuugzat, ik heb gezegd dat ik ziek was.'

'Breng je een nieuw album uit?'

'Ik moet nog even wachten, eerst komen er twee singles uit.'

Ze glimlacht: 'Maar ik ben wel al aan het onderhandelen over de volgende CD. Over het voorschot.'

'Als je wil kun je dat aan mij overlaten...'

'En jij doet nog altijd niets?'

'Ik doe gewoon een beetje zielig, om met mezelf in het reine te blijven.'

Ze kijkt op de klok, ontzetting: 'Ik voel dat ik voor de tweede keer ga spijbelen... Ik moet nou heus aan de slag.'

Ze raapt de bonnetjes op, betaalt en laat een reuzenfooi achter. Toen ze op haar horloge keek, veranderde haar houding ineens – een vrouw die weet wat ze wil.

Ze holt naar een taxi.

Nicolas keert naar huis terug. Geur van uitgedoofde sigaretten. Hij ruimt de salontafel af, de lege blikken, de kopjes, de suikerdoos.

Hij gaat op bed liggen om te slapen. Morgen zal hij alleen spelen. Het is niet hetzelfde, alleen. Het is ook wel leuk, maar je lacht minder. En sommige dingen vind je sneller met zijn tweeën.

★ ★ ★

Voor ze naar huis gaat, loopt Pauline langs de bank om een nieuw chequeboekje af te halen.

Er staat een dame voor haar. Ongeveer even oud als zij, maar met drie koters. Een klein meisje met haar hoofd vol vlechtjes tekent bloemen op een folder. Ze reikt het papier aan een heer die in de rij staat aan. Haar broertje is bang, hij hangt aan het been van zijn moeder, die het derde kind – een piepkleine baby nog – in haar armen draagt. Het is een beeldschone vrouw, ze draagt traditionele kledij, een rode jurk met goud erin verwerkt. Ze wacht, de bediende kijkt iets na en schudt zijn hoofd: 'Het spijt me, het staat nog niet op uw rekening.'

De vrouw verroert niet. Ze zegt niets. De vent van de bank herhaalt: 'Komt u morgen terug, misschien staat het er dan op. Ik kan echt niets voor u doen.'

Ze maakt nog altijd geen aanstalten om te vertrekken. Ze blijft daar maar staan, alsof ze te weinig kracht heeft om zonder een cent naar huis terug te keren, alsof ze het niet kan geloven.

Dan roept ze haar dochtertje, ze neemt haar zoontje bij de hand en loopt langzaam naar buiten. Ze staart recht voor zich uit, met grote uitdrukkingloze ogen.

De kerel van de bank herkent Pauline, grote glimlach. Ze zegt hallo, legt uit wat ze wil. Hij vraagt: 'Eén boekje, of neemt u er meteen twee?'

★ ★ ★

Geconditioneerde reflex, zodra ze thuiskomt, loopt ze naar het antwoordapparaat.

Boodschap van Sébastien, tegenwoordig laat hij soms een bericht achter. Zijn stem klinkt toonloos en triest. 'Ik weet hoe je het maakt, ik hoef de tv maar aan te zetten… Maar ik zou liever weten hoe het echt gaat.'

Het is zijn stem, dezelfde stem die haar helemaal verscheurde, die haar kapotmaakte, die haar het bloed naar het hoofd joeg en haar hart sneller liet kloppen. Als ze die stem nu hoort, doet het haar niets meer, ze kan haast niet geloven dat het die stem is – gewoon een bericht tussen de andere. Er blijven alleen wat losse flarden over, de herinnering aan een emotie, soms nog een gevoel van spijt. Ze voelt zich in de steek gelaten maar ze neemt het niemand kwalijk.

Ze belt hem nooit terug. Ze koestert toch wat wrok, ze heeft hem zo hard nodig gehad, tijdens haar veranderingsproces. Toen ze helemaal op tilt sloeg, en hij dat had kunnen verhelpen. Maar ze is vooral bang van hem geworden. Van zijn oordeel. Of liever, niet van zijn oordeel, maar van haar oordeel over zichzelf, als ze ooit bij hem terugkeerde. Zolang ze alleen is, mag ze egoïstisch, ambitieus en agressief zijn als haar vader, mag ze doen en laten wat ze wil. Als ze opnieuw zijn vrouw wordt, moet ze in een echtgenote veranderen, dan moet ze behulpzaam en vergevensgezind zijn, moet ze zich opofferen.

En ze houdt van zichzelf zoals ze nu is.

De foefjes waarmee ze haar streken wilde verbergen, zijn voorgoed verleden tijd. Ze houdt van gemakkelijk geld, het geld dat uit de muur komt, ze hoeft er haar plastic ding maar in te schuiven. De cijfers op haar bankkaart zijn wit uitgeslagen, want ze plet er haar poeder mee fijn. Overal waar ze komt trekt ze als een magneet al het licht aan – het geeft haar een goed gevoel. Wat kan het haar verdommen dat de mensen niet om haar geven voor wat ze is, als ze maar de schijn ophouden!

Zelfs de vijandigheid die ze bij heel wat mensen opwekt kan haar niet deren. De shit verspreidt zich als een lopend vuurtje. Trouw komt men haar de smerige roddels overbrieven die over haar de ronde doen, en men gooit er en passant nog een stevige schep bovenop.

Ze komt zo vaak met haatgevoelens in aanraking, dat het haar een kick geeft als ze wordt uitgescholden. Wat scheelt je, dat je zo pissig bent op me? Waarom lig je zo in de clinch met jezelf, dat je helemaal door het lint gaat en alleen nog kijkt wat er bij de anderen misgaat?

Ze ontmoet mensen die in haar gezicht een en al glimlach zijn, en zodra ze thuiskomen meteen Claudines video aanzetten om te kijken hoe ze wordt afgetuft.

Wat ze ook achteraf mogen vertellen, ze heeft hen in haar macht en dat gaat hun verstand te boven. Ze heeft zich onbetamelijk gedragen, en nu kan ze zich heel wat veroorloven.

Ze gaat zitten en luistert naar een oud nummer, *Do the right thing*. Het liefst bleef ze rustig de hele dag thuis. Ze

198

moet naar een etentje, in verband met een reclamecam-
pagne.

Big boss heeft gezegd dat er ontzettend veel poen te
rapen valt. Hij waardeert haar geldzucht, net als hij haar
voorliefde voor seks waardeerde. Ze voelt nog altijd een
vaag misprijzen voor hem, en bijwijlen is ze hem kotsbeu.
Maar ze belt hem op, zelfs als ze niets te zeggen heeft, en
vertelt hem wat er in haar omgaat. Ook hij neemt haar in
vertrouwen, hij heeft het vaak over geld.

Zijn geldhonger is een bodemloos vat. Big boss is als een
zwaarlijvige: de overdaad maakt hem ziek, maar een ander
middel om zijn competentie te bewijzen kent hij niet –
alleen hoe langer hoe meer en meer en meer verdienen.

Hij heeft het ook voortdurend over zijn leeftijd. Wat
moet ze zeggen als hij vertelt wat het betekent te verliezen, en hoe vreselijk dat is. 'Je leeftijd lees je af in de ogen
van de anderen, ook als je er zelf niet meer aan denkt. De
rimpels in je huid, je geur die verandert. Je krijgt het
lichaam van een vreemde, anders dan het lijf dat je altijd
gekend hebt. Het is een droevige vergissing, en niemand
bij wie je kunt klagen. En je voelt hoe je onverbiddelijk
tot het kamp van de derde leeftijd gaat behoren, wat tot
dan toe een andere wereld was waar je niets mee te
maken had. En in je lijf verandert er helemaal niets, je
bent dezelfde als twintig jaar geleden, in een koetswerk
dat stilaan naar de knoppen gaat. Je had gehoopt dat je
aan de zielenpijn, de ontgoochelingen gewend zou zijn,
je probeert je immers al zo lang te harden. En het omgekeerde is waar, het doet meer pijn dan ooit. En omdat het
altijd op dezelfde plek aankomt, doet het afschuwelijk
pijn.' Zulke dingen zegt hij.

Net die momenten doen bij haar het verlangen opkomen om hem in haar armen te sluiten en te zeggen 'ik hou
van je lichaam', hoewel het gelogen is, ze weet goed dat
hij het lijf van een oude man heeft. Liegen, om de pijn te

verzachten. Zoals altijd wanneer het onrechtvaardig is, te hard om dragen voor de ander.

Antwoordapparaat. Big boss aan de lijn. Ze neemt de hoorn meteen af, hij is ongerust: 'Ik heb gisteren de hele dag gebeld. Was je ziek? Bijna was ik komen kijken. Gaat het wel?'

'Ik was geeneens ziek. Maar ik moest er even uit.'

'Je had me kunnen waarschuwen.'

'Nee, ik ken je, je had me vast willen overtuigen toch naar mijn afspraken te gaan...'

Daarna luistert ze met een half oor verder. Hij slaagt er niet in iets in minder dan dertig zinnen te zeggen. Hij heeft zoveel futiliteiten aan zijn hoofd, dat hij alles ontzettend ingewikkeld maakt. Hij wil haar komen afhalen voor het etentje, ze zegt oké en maakt zich klaar.

Voor ze weggaat, krijgt ze opeens een inval. Ze belt Nicolas, ze maakt hem wakker: 'Sorry, ik dacht dat je op dit uur al op zou zijn.'

'Ik heb geen enkele reden om niet te slapen, ik kan er net zo goed van profiteren.'

'Zeg, je had het over een winkel waar ze spelconsoles verkopen, kunnen we afspreken straks, en samen zo'n ding halen? Jij geeft me goede raad, je helpt me bij de installatie, dan kunnen we vanavond een poosje spelen.'

'Had je het niet vreselijk druk vandaag?'

'Ik zeg alles af. Er is een etentje waar ik niet onderuit kan, maar al de rest zeg ik af.'

'Je hebt gelijk, je moet grunge blijven.'

Als ze ophangt, springt ze een gat in de lucht. Niets leukers dan je voor te bereiden op een lastige, drukke dag en ten slotte gewoon thuisblijven.

Ze is niet van plan Big boss te waarschuwen, hij zou er meteen een drama van maken.

★ ★ ★

Nicolas heeft de tv omgedraaid en friemelt aan de draden achteraan: 'Het is me een raadsel hoe jij die video hebt aangesloten.'

'Ik ben nergens aangekomen.'

'Als het Claudine was, begrijp ik het al beter.'

'Weet je dat je de enige bent die over Claudine praat zonder te denken dat ik het ben?'

'Ben je nooit bang dat het uitkomt?'

'Ja. Maar het zou weer op hetzelfde uitdraaien: prima publiciteit.'

'Blijkbaar beschouw je alles als publiciteit, tegenwoordig?'

'Waarom zou ik me generen...'

'En je hebt nog nooit in de rats gezeten, als je mensen tegenkwam die je zus kenden en die jij niet herkend hebt?'

'Jawel. Maar aangezien ik nu "iemand" ben geworden, wijten ze het aan mijn slechte karakter. In feite geloof ik soms dat ik haar ben en vergeet ik dat het één grote leugen is.'

'Oké, het werkt, we kunnen spelen. Waar heb je de spellen gelegd?'

Ze wijst naar de tafel, trekt aan de joint en laat een gloeiend tipje op haar blouse vallen. Ze springt op en veegt het van haar boezem. Het heeft een gaatje gebrand. Ze vraagt: 'Misschien kun je eerst bier kopen?'

'Nou, op dat vlak ben je niet veranderd: het liefst blijf je op je kont zitten.'

'Het is niet meer hetzelfde. Je hebt het zelf gezien, iedereen herkent me. Ik kan me niet meer straffeloos op straat vertonen.'

'Fantastisch excuus heb je daar gevonden.'

★ ★ ★

Het is een spel met verschillende werelden. Er is water. Je krijgt de deuren alleen open met sleutels die moeilijk te vinden zijn, je moet zwemmen, rennen, van dak naar dak springen, bewakers, honden, ratten, vogelspinnen doodmaken. Als het meisje iets interessants vindt, buigt ze zich voorover en zegt 'oh, oh'. Er zijn geheimzinnige geluiden die aangeven wanneer het er zal stuiven.

Ze spelen uren aan één stuk door. Op het eind zitten ze vast aan de uitgang van een lift, ze moeten drie venten neerknallen en ze hebben zelf nog maar weinig levens, ze gaan keer op keer dood. Pauline is ontmoedigd: 'We mochten ons daar nooit verschansen. Nu moeten we van nul af aan herbeginnen.'

'In dit spel zit je nooit vast.'

'Ik begrijp je niet goed. Je ziet toch dat we ze onmogelijk kunnen afmaken!'

'Vanavond, omdat we doodop zijn en te veel gedronken hebben. Maar morgen kunnen we beslist door.'

'Wil je hier blijven slapen? We kunnen de sofa openklappen.'

'Moet je niet te vroeg weg, morgenochtend?'

'Maak je geen zorgen, ik maak je niet wakker. Je moet alleen de deur achter je dichttrekken. Voor je weggaat, probeer je het volgende niveau te halen.'

'Oké.'

Ze wijst naar de sofa: 'Weet je hoe die open moet?' Hij is nog altijd aan het spelen, knikt: 'Ik ben het gewoon.'

Ze laat hem achter, ze zou willen dat hij haar tegenhield. Ze voelt zich opgelucht dat hij het niet doet.

Ze doet de deur van haar kamer dicht, kleedt zich uit, gaat naar bed. Ze zou willen dat hij zonder aan te kloppen binnenkwam en tussen haar benen kwam liggen. Ze voelt zich opgelucht dat hij het niet doet.

's Morgens wordt hij door geweerknallen gewekt, en door Pauline die uitroept: 'Bij mijn eerste poging. Niet te geloven, toch?'

'Gefeliciteerd. Nou, je hebt mazzel, dat helpt natuurlijk.'

'Behendigheid, soepelheid, strategie, spelinzicht, een moreel dat niet stuk kan...'

'Ben je niet te laat?'

'Ik heb geen zin ernaartoe te gaan.'

'Als ik straks maar geen spijt krijg dat ik je dit spel heb meegebracht.'

'Ik speel het uit, en dan begin ik weer een normaal leven te leiden.'

'Reken maar op een week om het uit te spelen.'

'Daar ben ik niet bang van.'

'En wat zeiden ze dat je weer niet komt opdagen?'

'Ik heb niet gewaarschuwd. Ze zullen het zo ook wel snappen.'

'Zullen ze niet ongerust zijn?'

'Jawel. Maar ze overleven het vast wel.'

* * *

De boss is het beu altijd te bellen en nooit antwoord te krijgen. Hij is haar thuis komen opzoeken.

Zodra de deurbel gaat, weet ze dat hij het is. Ze zet het geluid van de tv af, Nicolas fluistert: 'Verwacht je iemand die je liever niet ziet?'

'Het is de big boss. Wat een klit, die vent!'

'Maak de deur open.'

'Ik heb geen zin. Ik heb toch het recht een poosje uit te puffen, of niet soms?'

Hij dringt aan en blijft aanbellen. Ook Nicolas dringt aan: 'Je moet openmaken. Stel je voor dat hij de brandweer waarschuwt?'

Haar angst om naar de deur te gaan is niet rationeel meer. Ze kan beter opstaan, Nicolas heeft gelijk, de boss is er inderdaad toe in staat, en welk figuur zullen ze dan slaan, als ze de deur inbeuken? Hoe moeten ze uitleggen dat ze gewoon een steile helling willen nemen met op het eind een aantal ventilators die Lara fijnmalen telkens ze daar aanbelandt?

Maar goed dat ze opendeed, Big boss is buiten zichzelf en eerst denkt ze dat er iets vreselijks gebeurd is. Hij is lijkwit, trilt over zijn hele lijf en zodra hij haar ziet, stormt hij op haar af, neemt haar in zijn armen, hij kan elk moment in tranen uitbarsten: 'Mijn lieve Claudine, wat ben ik bang geweest, ik stelde me van alles voor, van alles… Wat was ik bang!'

Ze klopt hem op de rug. Ze zou graag opnieuw spelen maar voelt dat het niet zo eenvoudig is: 'Sorry, ik wist niet dat je zo in paniek zou zijn. Ik wilde er gewoon een paar dagen uit zijn.'

Nu is hij verontwaardigd: 'Maar iedereen is op zoek naar je! Besef je dat wel? Dit is niet erg professioneel, Claudine.'

De zwaarste belediging die hij kent. Voor hem is het ongelooflijk erg, als je niet professioneel bent. Je mag ongelukkig zijn, oneerlijk, een profiteur, een bedrieger, wat je maar wil, maar je moet professioneel blijven.

In de zithoek botst hij op Nicolas, die gelukkig de tv heeft uitgezet. Big boss denkt dat hij het gesnopen heeft, zegt geen gedag of niets, maar roept: 'Ik had het kunnen weten!'

Wendt zich tot Pauline: 'Claudine, maak je klaar. We gaan uit eten vanavond.'

Dan tot Nicolas: 'Het spijt me, jongeman, u krijgt haar later terug.'

'No problem, chief. Ik ga ervandoor.'

Ze laat hem weggaan, waarschijnlijk is dat de redelijkste oplossing, ze loopt tot de deur met hem mee. Nicolas onderdrukt een proestbui, fluistert: 'Nou krijg je de volle laag.'

'Denk je? Ik probeer hem te laten spelen, misschien bevalt het hem. Bel ik je morgen?'

En ze doet de deur achter hem dicht. Big boss loopt in de zithoek te ijsberen, hij is nog altijd diep ongelukkig, spreidt de armen: 'Ik begrijp dat je avontuurtjes hebt... Maar dat mag je niet beletten je afspraken na te komen. Dat weet je toch. Wat bezielt je?'

'Ik heb twee dagen afgehaakt, dat is toch geen ramp. Ik had het nodig. Ik durf te wedden dat de wereld lustig doordraait. Je kent me toch, ik ben ernstig, hebzuchtig en ambitieus. Het gaat wel over. De druk moest even van de ketel.'

'Ga dat eens uitleggen aan de twee kranten die je voor schut hebt gezet, en de tv-uitzending waar je niet bent komen opdagen, en de afspraak met het productiehuis, het had me drie maanden gekost om dat voor je te regelen. Je hebt geeneens afgebeld, de man was razend. Ik heb zelfs gelogen om je te verontschuldigen.'

'Dat liegen was vast lastig voor je.'

Ze probeert hem te kalmeren. Hij denkt echt dat hij haar vader is, dat hij weet wat goed is voor haar. Hij vraagt: 'Wie was die knul?'

'Een vriend.'

Ze zou kunnen zeggen dat ze niets doen samen. Hoewel hij het niet zegt, voelt ze dat het hem kwetst dat ze zich met een ander heeft opgesloten. Bovendien een jongen van haar leeftijd.

Het was trouwens ook haar bedoeling hem gerust te stellen. Al met al staat hij nog altijd het dichtste bij haar. Ze is blij dat hij haar persoonlijk is komen halen om haar weer op het rechte pad te brengen. Genoeg gespeeld nu, ze heeft andere dingen aan haar hoofd.

Ze doet haar mond open om uitleg te geven, 'maak je geen zorgen, het is gewoon een makker'. Big boss is haar voor: 'Ben je zeker dat het geen profiteur is?'

'Waarom denk je dat?'

'Je weet zeer goed dat iemand als jij alle parasieten aantrekt.'

'Nee hoor, hij meent het goed.'

'Sta me toe daaraan te twijfelen. Iemand die het goed met je meent moet volgens mij voor jou de kost verdienen. Geen snoeshaan die je al je afspraken laat afzeggen.'

'Sta me toe je te zeggen dat je m'n reet kunt kussen en dat het me niks kan verdommen wat je van hem denkt.'

Big boss zet een nors gezicht maar laat zich niet van de wijs brengen: 'Ben je van plan hem terug te zien?'

'Ja.'

'En wat doet hij voor de kost?'

'Niets.'

'Maar voor de rest geen parasiet... Nou ja.'

'En je vrouw, is zij soms een parasiet?'

Big boss staakt de strijd. Hij wijst naar de klok: 'We mogen niet te laat komen. Ga je klaarmaken, oké?'

Hij beziet haar, ze draagt een onfrisse jurk, de eerste die ze vond toen ze opstond, haar haar is in de war en ze heeft zich niet ontschminkt. Hij voegt er nog aan toe: 'Blijkbaar vind je het niet de moeite je voor hem op te tutten.'

'Nou, hij houdt van grunge.'

'En ik hou ervan als je er mooi uitziet.'

Een opmerking van haar vader. Uit een tijd toen ze niet besefte dat ze op haar zus kon lijken, dat je alleen een hele trukendoos nodig had om bij de mannen in de smaak te vallen. Ze dacht dat vrouwelijkheid een existentieel gegeven was, iets wat je niet kon nabootsen.

Ze neemt een douche en kleedt zich aan, de telefoon rinkelt bij de buren.

Het gaat om een etentje met vreselijk interessante lui. Ze wilde de uitnodiging weigeren, maar Big boss heeft zich ertegen verzet: 'Ze willen je per se zien. Ze zouden het je erg kwalijk nemen als je weigerde.'

Voortaan bestaat haar taak erin belangrijke mensen tot eer te strekken. Er is er altijd wel een bij die haar laat voelen dat ze een talentloze domme trien is, dat ze haar succes eigenlijk niet verdient. Zo is er altijd minstens één. En iemand die opmerkt dat het niet eeuwig duurt, dat ze ervan moet profiteren, dat het publiek je snel moe is. En nog een ander die er poeslief aan toevoegt dat vrouwen snel verouderen.

Of iemand die zijn hart moet uitstorten. Sinds die pornofilm uit is, is er altijd wel een bij die begint over zijn favoriete standjes, op een samenzweerderige toon die alleen maar wil zeggen: 'Kijk, ik heb het al met een man gedaan, of vastgebonden, of ik zou me graag es met een dildo laten neuken, maar mijn vrouw vindt het maar niks, of ik loop graag op hoge hakken.'

En dan zijn er ook altijd een paar die haar totaal negeren, ze geven immers niet toe aan de smaak van het plebs.

En iedereen moet er daarna aan geloven, ze bespreken geval per geval: 'wat meneer zus uitricht is totaal kut', en meneer zo 'is de enige ware cineast van zijn generatie, jammer dat hij zo weinig bekend is'. Alleen lui waar niemand ooit van gehoord heeft, zijn interessant. En Jan Publiek? Allemaal runderen, en hun smaak, totaal klote, zodat het succes alleen voor sukkels is weggelegd.

Ze gaat met de elite eten. Ze zal niet één keer de slappe lach krijgen. Ze zal niets begrijpen van wat ze vertellen. 'Heb je die film niet gezien?' Arm ding, schattig ding, dom ding, gelukkig heeft ze haar dikke negerinnenkont om dat gemis te compenseren. 'Het is een pareltje', en iedereen aan het knikken, 'het eerste uur gebeurt er niets, werkelijk niets, en dat niets sublimeert dan tot momenten van absolute gratie.' Velen kicken erop, op de combinatie van haar gebrekkige algemene ontwikkeling en haar fraaie uiterlijk. Zo moet een lekkere wip eruitzien.

Ze slaagt er niet in zich op te maken. Haar ene oog wil maar niet lukken, ze ontschminkt zich, dan mislukt het andere oog, ze kan opnieuw beginnen.

Big boss is tot bedaren gekomen, hij vraagt door de deur: 'Duurt het nog lang?'

'Tien minuten, denk ik.'

'Vrouwen!'

Een originele bedenking. Ze aarzelt welke jas ze moet aantrekken. Halfluid zegt ze: 'Ik heb alleen maar boeiende dilemma's.'

Ze snuift eerst nog een lijntje en geeft zichzelf een preek: 'Begin niet te klagen over de dingen die je overkomen, begin niet te klagen over het leven dat je leidt. Vandaag werkt de boss je op de heupen, maar meestal ben je best tevreden met je lot. En je bent dol op al die intriges, je wil maar één ding, snel die tweede plaat maken, alleen om al die hufters te bewijzen dat je fantastisch bent en goed zingt. Vandaag wilde je thuis blijven om pret te maken met Nicolas, maar ik ken je: morgen denk je er geeneens meer aan hem te bellen en is hij weer mijlenver. Trouwens, het is waar dat hij een loser is, dat hij nergens interesse voor heeft en dat je het snel beu wordt als je met zulke knullen omgaat.'

Toch vindt ze hem ongelooflijk lomp, die ouwe zak die zich aanstelt als een nukkig wicht en dat als 'wellevendheid' bestempelt.

Ze is klaar om uit te gaan. Ze bekijkt zich een laatste keer en glimlacht naar de spiegel, ze ziet er goed uit zo.

Toen de boss haar zo-even de les spelde, is ze op een idee gekomen. Een oud idee, totaal onzinnig.

Morgen is ze het vast alweer vergeten.

★ ★ ★

Metroperron. 's Avonds rijden er minder treinen voorbij. Op de grond ligt een bananenschil. Nicolas leest een gedicht dat de vervoersmaatschappij daar heeft opgehangen. Stilte van mensen die elkaar niet kennen, de meesten zitten met hun neus in een boek.

Aan de overkant staat een oude dame in zichzelf te praten. Ze maakt zich boos op iemand die niet bestaat.

De metro komt eraan, oorverdovende herrie, telkens opnieuw het lawaai van een catastrofe.

Pauline had hem de volgende dag niet teruggebeld, het had hem niet verwonderd. Maar twee dagen later had hij haar toch aan de lijn: 'Ik heb het heel druk. Ik kan je nu niet zien, ik bel alleen om te horen hoe het gaat.'

Ze hadden een paar dwaze opmerkingen gemaakt, ze was op dat spel gefixeerd: 'Van de week kan ik niet, maar daarna telefoneer ik, we moeten het afmaken.'

Meer dan een maand had hij geen nieuws meer gehad. Niet dat het hem erg verbaasd of ontgoocheld had. Het leven bleef zijn gangetje gaan.

Gisteren heeft ze gebeld. Prima dope, blijkbaar, ze stelde zich megabizar aan, haar euforische stemming lag er wat te dik op. Hij zei: 'Als je wil kom ik morgenavond langs.'

'Schitterend.'

'Je staat er nogal op dat spel af te maken, zou ik zeggen.'

'Tja, zo gaat dat, je krijgt een inval en de volgende dag is hij alweer uit je gedachten. En soms is er iets, het overvalt je en het laat je nooit meer los. Jijzelf hebt niet te kiezen, het gebeurt vanzelf, en soms sla je jezelf met verstomming.'

'Ik begrijp perfect wat je bedoelt.'

'Ik leg het je morgen wel uit, als je hier bent.'

'Zoals je wil... En als je het zingen beu bent, kun je misschien raadsels gaan bedenken voor een of ander spelprogramma. Ik heb zo het gevoel dat je daar aan toe bent.'

Hij zou willen dat het is wat hij denkt. Hij zou willen dat ze openmaakt en zegt 'm'n poesje heeft honger' en dat ze elkaar te pletter neuken.

Een vent komt zijn wagon binnen, hij slaat keihard op een zitbank. Het is een reus, en hij is in een vreselijk rothumeur.

De metro stopt, Nicolas stapt meteen uit. Hij moet nog twee haltes verder maar beslist te voet te gaan. Hij volgt de bovengrondse metro. Het is een lekker vriesweer.

In de rue Poulet botst hij op een jongen die door de politie achternagezeten wordt. Vreemd dat de smerissen op dit uur nog tussenkomen in de buurt. Overdag – vanuit Claudines raam heeft hij dat wel honderd keer gezien – wachten ze tot er vier auto's en twee overvalwagens zijn om een enkele persoon aan te pakken. En dan is er de samenloop en het tumult, het kleinste incident kan ervoor zorgen dat er rellen komen, en reken maar dat er genoeg volk is om een stevig potje te bakkeleien. Alleen, dat incidentje komt er niet. Iemand die een steen gooit, en je hebt gegarandeerd een hele week rellen. Vier auto's, twee overvalwagens, voor zo'n massa is dat toch een peulschil... Maar in de meeste situaties ontbreekt juist die eerste steen.

★ ★ ★

Als hij bij haar aankomt, ziet het er onwaarschijnlijk clean uit. Nooit heeft hij de flat in die toestand gezien. Claudine hield niet van overdreven netjes, wie geen rommel kon verdragen was gevaarlijk gek volgens haar. En Pauline heeft de boel nooit opgeruimd, ze durfde niet goed. Ze had er zich toe beperkt alles draaiende te houden. Hij fluit bewonderend: 'Heb je grote schoonmaak gehouden?'

'Ik ga weg uit de flat, ik wil alles schoon achterlaten. De kasten zijn leeg, ik heb alles opgeborgen.'

'Puik werk.'

'Ik ben er al twee dagen mee bezig.'

Terwijl ze praat, legt ze haar vinger onder haar rechter neusgat en kijkt hem aan. Nicolas vraagt: 'Bang dat je uit je neus gaat bloeden of zo?'

'Ja en nee, het is misschien een tic...'

Ze zucht, glimlacht: 'Nou, de voorbije twee weken heb ik er de pees opgelegd.'

'Je kunt toch maar beter oppassen. Ik weet dat het me niet aangaat, maar...'

'Morgen is het voorbij.'

'Dus je verhuist?'

'Ik smeer 'm. Ik vertrek op reis.'

'Puik. En waarheen gaat het?'

'Dakar.'

'Wel wat anders dan je straat, je zult heimwee krijgen...'

Vanbinnen lacht hij, sputtert hij 'wat is dat nou, waarom gaat ze weg en waarom zo ver en zonder mij?'. Hij probeert zichzelf onder controle te houden, een schijntje van waardigheid te behouden: 'Wanneer vertrek je?'

'Morgenavond, maar als ik wil kan ik de tickets nog ruilen.'

Ze staart naar de tv die niet aanstaat, ze lijkt zich op iets anders te concentreren. Hij voelt een stekende pijn tussen zijn ribben, ze kan niet zomaar verdwijnen. Hij merkt alleen op: 'Dus je hebt me wat op de mouw gespeld, want vóór morgenavond kunnen we dat spel niet uitspelen.'

'Dat hangt ervan af. Als je met me meekomt, hebben we alle tijd om het af te maken.'

Bingo. Hij doet of hij haar niet goed begrepen heeft, hij wil dat ze haar plan klaar en duidelijk uiteenzet: 'Dus je wil dat ik met je meekom naar Dakar, om Tombraider uit te spelen?'

'Dat en een massa andere dingen.'

Uitbarsting van vreugde, hij wist dat het moest gebeuren. Hij wil nog even dwarsliggen: 'Ik hou niet zo van het buitenland.'

'Waar ben je geweest, dat je dat kunt zeggen?'

'Nergens.'

'Brute pech, want ik wil niet in Frankrijk blijven.'

Hij schenkt hun glazen in, drijft de spot met haar: 'Te veel succes? Ben je het zat, wil je rustig op straat kunnen lopen zonder dat ze je om de haverklap lastigvallen...?'

'Nee, daar kan ik mee leven. Ik denk zelfs dat het me in het begin zal irriteren, als niemand me herkent.'

Ze denkt een ogenblik na. Nicolas heeft nog junkies onder zijn vriendinnen, ze gedraagt zich net als zij: ze stopt midden in haar zin, haar ogen staan elders, ze haakt af. Dan begint ze weer: 'Ik leg je uit wat ik gedaan heb, en daarna leg ik uit wat ik wil doen: je weet wel, een maand geleden, toen we elkaar gezien hebben, die dag, net nadat je 'm gesmeerd was, ben ik tot de conclusie gekomen dat ik me verveelde, en dat ik gevaarlijk aan het afglijden was.'

'Ik dacht dat je reuze lol trapte?'

'Alles was fantastisch. Alleen, het houdt nooit op. Nicolas, ze zijn totaal decadent, allemaal. Dus heb ik de dingen op een rijtje gezet en dit was het resultaat: ik lach nooit. Soms grijns ik even als iemand iets ongelooflijk gemeens zegt. Anders lach ik nooit. En weet je hoe je dan wordt?'

'Handelbaar?'

'Totaal verziekt. En als je oud bent komt het je duur te staan dat je geleefd hebt als een zielige zombie. Volg je me?'

'Ongeveer. Maar ik luister.'

'Dus gedurende een maand was ik met duizend en één dingen tegelijk bezig, ik werkte me te pletter, heb me als een heus model gedragen. Ik heb een massa voorschotten opgestreken.'

'Voorschotten?'

'Van alles en nog wat. Een nieuw platencontract, bingo, een reeks reclamespots, weer bingo, mijn memoires als pornoster, bingo, en een massa nonsens... Bingo, bingo. Ik heb alles op verschillende rekeningen gezet, je mag het weten: ik heb alles geregeld. En nu kan ik met een gerust gemoed vertrekken.'

'Zou je niet gewoon met vakantie gaan, even nadenken? Als je een inval hebt, waarom moet het per se een dwaze inval zijn?'

'Luister, mijn ding is het voorschot. Toen ik dat woord voor het eerst hoorde, wist ik, dát is het, het voorschot.'

'Gaat het om veel geld?'

'Nou, de voorschotten en wat ik van de plaat overhoud... Als we massa's stommiteiten uithalen kunnen we er met zijn tweeën tien jaar van leven, vijftien jaar als we een beetje opletten. En twintig als we ons gedeisd houden...'

'Met zijn tweeën.'

'Ik wil dat je meekomt. Ik wist niet hoe ik het je kon zeggen. Maar alleen ga ik niet weg.'

'Het klinkt allemaal prachtig, maar ik ben geen koffer, hoor.'

'Misschien had ik het vroeger moeten zeggen. Maar ik was bang dat ik van mening zou veranderen. Op het allerlaatste moment. Dat ik liever hier zou blijven. Ik had een verdomde angst dat je nee zou zeggen.'

Hij is de gelukkigste van alle mensen, het is duizend keer meer dan hij wilde. Hij verbergt zijn gevoelens, blijft vrij koel. Er is toch nog een klein detail dat hij uit haar mond wil horen.

Hij fluit: 'Je loopt wel wat hard van stapel. Ik kan niet zomaar vertrekken.'

'Dat begrijp ik niet. Ben je niet graag bij me, soms?'

'Ja, ja, dat zit wel goed. Maar er is nog een verschil tussen graag bij iemand zijn en alles in de steek laten om met die iemand de benen te nemen... En welk figuur zou ik slaan, eenmaal in Dakar, als jij tot de conclusie komt dat je beter iets anders kunt doen dan met mij te zitten niksen, en dat je me ineens laat vallen zoals je al gedaan hebt... In Parijs ging het nog, ik heb het goed opgenomen. Maar in volle wildernis zou ik het minder jofel vinden.'

'Toen was ik nog jong, ik kende niets van het leven. Je bent de enige met wie ik het goed kan vinden.'

Stuk voor stuk de woorden waarvan hij gedroomd heeft. Hij is van plan er maximaal van te genieten. 'Het spijt me, ik heb er echt geen zin in. Maar misschien kom ik je ooit wel es opzoeken...'

'Wil je niet met me vrijen? Misschien worden we dan smoorverliefd op elkaar, en wil je me dan volgen.'

'Nou moe, je begint echt te klieren.'

Hij staat op, voelt zijn benen nauwelijks. Zoete wraak, voor de manier waarop ze hem behandeld heeft. En vooral: haar een toontje lager laten zingen. Haar tot de volgende dag laten wachten.

Hij draait zijn hoofd naar haar, ze bijt zich tot bloedens toe op de lip. Als ze te veel coke snuift, ziet ze er totaal geschift uit. Hij legt uit: 'Je kwetst me. Zoals je me tussen je bagage wil meepakken. Zoals je me in je bed wil krijgen om met me te doen wat je wil. Je kwetst me. Ik heb het gevoel dat ik alleen maar naar je pijpen mag dansen.'

'Ik druk me vast erg onhandig uit.'

'Je hebt vooral te veel gebruikt. Je hebt geen voeling meer met sommige dingen... Bovendien, de manier waarop je tegen me praat... Ik vertaal het even: je bent een complete loser, je hebt hier niks maar dan ook niks te verliezen, je kunt beter meekomen en me vermaken. Snap je dan niet dat je me kwetst?'

'Maar weet je dan niet meer hoe lekker het was?'

'Eigenlijk niet, nee.'

★ ★ ★

Terras van een groot huis aan zee.

'Shit, wat een prachtweertje.'

'Het doet pijn aan m'n ogen.'